大家小书

古典戏曲略说

王季思　著　王兆凯　编

北京出版集团公司
北京出版社

图书在版编目（CIP）数据

古典戏曲略说 / 王季思著 ; 王兆凯编. — 北京 : 北京出版社，2018.4
（大家小书）
ISBN 978-7-200-13626-5

Ⅰ. ①古… Ⅱ. ①王…②王… Ⅲ. ①古代戏曲—研究—中国 Ⅳ. ①J809.22

中国版本图书馆 CIP 数据核字(2017)第 282872 号

总 策 划　安　东　　高立志
责任编辑　司徒剑萍　高天航

· 大家小书 ·
古典戏曲略说
GUDIAN XIQU LÜESHUO
王季思　著　王兆凯　编
*
北京出版集团公司
北　京　出　版　社　出版
（北京北三环中路 6 号）
邮政编码：100120
网　址：www.bph.com.cn
北京出版集团公司总发行
新　华　书　店　经　销
北京华联印刷有限公司印刷
*
880 毫米×1230 毫米　32 开本　10.125 印张　165 千字
2018 年 4 月第 1 版　2022 年 12 月第 2 次印刷
ISBN 978-7-200-13626-5
定价：38.00 元
如有印装质量问题，由本社负责调换
质量监督电话：010-58572393

总　序

袁行霈

“大家小书”，是一个很俏皮的名称。此所谓“大家”，包括两方面的含义：一、书的作者是大家；二、书是写给大家看的，是大家的读物。所谓“小书”者，只是就其篇幅而言，篇幅显得小一些罢了。若论学术性则不但不轻，有些倒是相当重。其实，篇幅大小也是相对的，一部书十万字，在今天的印刷条件下，似乎算小书，若在老子、孔子的时代，又何尝就小呢？

编辑这套丛书，有一个用意就是节省读者的时间，让读者在较短的时间内获得较多的知识。在信息爆炸的时代，人们要学的东西太多了。补习，遂成为经常的需要。如果不善于补习，东抓一把，西抓一把，今天补这，明天补那，效果未必很好。如果把读书当成吃补药，还会失去读书时应有的那份从容和快乐。这套丛书每本的篇幅都小，读者即使细细地阅读慢慢地体味，也花不了多少时间，可以充分享受读书的乐趣。如果把它们当成补药来吃也行，剂量小，吃起来方便，消化起来也容易。

我们还有一个用意，就是想做一点文化积累的工作。把那些经过时间考验的、读者认同的著作，搜集到一起印刷出版，使之不至于泯没。有些书曾经畅销一时，但现在已经不容易得到；有些书当时或许没有引起很多人注意，但时间证明它们价值不菲。这两类书都需要挖掘出来，让它们重现光芒。科技类的图书偏重实用，一过时就不会有太多读者了，除了研究科技史的人还要用到之外。人文科学则不然，有许多书是常读常新的。然而，这套丛书也不都是旧书的重版，我们也想请一些著名的学者新写一些学术性和普及性兼备的小书，以满足读者日益增长的需求。

“大家小书”的开本不大，读者可以揣进衣兜里，随时随地掏出来读上几页。在路边等人的时候，在排队买戏票的时候，在车上、在公园里，都可以读。这样的读者多了，会为社会增添一些文化的色彩和学习的气氛，岂不是一件好事吗？

“大家小书”出版在即，出版社同志命我撰序说明原委。既然这套丛书标示书之小，序言当然也应以短小为宜。该说的都说了，就此搁笔吧。

目　录

我国戏曲的起源和发展

戏曲是综合性的艺术，它通过舞台人物的科介、宾白、歌曲、舞蹈来表现一个完整的故事，同时有音乐伴奏。形成戏曲的每一种艺术因素都是劳动人民创造的。我国劳动人民从来就爱好艺术，也懂得艺术，他们经常运用各种艺术形式表现自己的生活和他们对生活的愿望。相传出于葛天氏时期的《八阕》歌，是由三人执牛尾边舞边唱的，歌题有《逐草木》《奋五谷》等，表现了他们对农业生产的愿望。相传出于伊耆氏时期的《蜡辞》、出于黄帝时期的《弹歌》，同样表现了古代人民的农业生产劳动和狩猎生活，以及他们希望怎样避免水灾和虫害，怎样猎取更多的鸟兽。这些反映我国古代劳动人民生活的歌辞和舞蹈，成为我国诗歌、音乐、舞蹈等艺术部门的远祖，同时是我国戏曲发展最远的源头。春秋战国时期，民间配合着祈雨、驱疫、祭神，有种种歌舞的表演，但就遗留下来的文献记载和歌辞看，还是比较简单的。到了秦汉以后，随着封建社会经济的发展，我国和邻近民族经济上文化上的交流，阶级矛盾和民族矛盾的错综复杂，人们的社会生活愈益丰富，于是在诗歌以及民间传说里出现了具有丰富的社会内容、表现尖锐的阶级矛盾和民族矛盾、富有戏剧性的冲突和完整的故事形式的作品，如乐府诗里的《孤儿行》《妇病行》《羽林郎》《陌上桑》《孔雀东南飞》等，民间传说里的孟姜女故事、太子丹故事、卓文君司马相如故事、王昭君故事、梁山伯祝英台故事等。这些来自广大人民之中的诗歌和传说，不论从它们在当时的历史发展或对后来的戏曲影响看，不论从它们的思想内容或故事情节看，都不能不承认是推动我国戏曲历史发展的重要因素。就音乐、声腔及舞蹈说，汉乐府所吸收的“赵代之讴、秦楚之风”，以及汉魏以来在民间流行的平调、清调、杂舞、杂曲也都辗转流传，给唐宋以来组成戏曲艺术的歌舞、音乐以影响。我国戏曲所以具有那样旺盛的生命力，因为它自始至终植根在广大人民的土壤之中。

到了南北朝时期的“参军戏”，给我国后来以净、丑打诨为主的讽刺短剧创造了一个优秀的范例。参军戏的得名，相传始自对后赵参军周延的讽刺。这种戏主要由一个装作官僚的参军和一个装作奴仆的苍鹘对演。在演出过程中，参军总是成为被打击和被讽刺的对象。从这种艺术形式所体现的思想倾向看，我们有理由认为它是由民间流入宫廷的。

比参军戏的产生稍迟的《踏摇娘》，替我国后来通过生、旦的载歌载舞和其他人物的穿插来表演一个完整故事的戏曲创造了雏形。《踏摇娘》产生在北齐时期，相传当时北齐有个姓苏的酒徒，每喝醉了酒就打妻子。他妻子向邻人诉说她的怨恨，他又追来跟她闹。戏的主要内容就是这样。根据崔令钦《教坊记》的记载，戏里还有典库的穿插。可见内容不仅是家庭的悲剧，同时揭露了当时凭实物抵押来放高利贷的封建剥削给人们带来的灾难。

各种歌曲、舞蹈、杂耍在民间发展的同时，历来的封建统治主也都在宫廷里豢养一批俳优、侏儒、歌儿、舞女，供他们玩弄。这些在宫廷里供统治主玩弄的男女奴隶，由于演出比较经常，有可能熟练地掌握某种艺术形式。然而由于他们长期离开广大人民的生活，他们的演出要投合皇帝、贵族的胃口，因此他们演出的艺术内容总是苍白无力的。乐府里的《郊庙歌辞》《燕射歌辞》，内容都陈陈相因，毫无生气，就是最好的说明。

一切在宫廷里被僵化了的艺术形式，到了后来往往在宫廷里也不能继续引起人们的兴趣，于是一些在民间流行起来的新的艺术形式又开始被封建统治主所注意，加以吸收和修改，来供他们自己娱乐。汉代的乐府、唐代的教坊，主要是为吸收当时民间流行的歌曲和舞蹈来供宫廷欣赏而设置的。唐代教坊的设置和官伎制度的确立又标志着我国戏曲发展史上一个新的时期的开始。

我国各种歌舞技艺从两汉到中唐，发展异常迟缓。因为在这漫长的封建社会里，民间虽不时出现一些表现新的生活内容的创作，但由于没有经常性的演出，艺术内容不容易继续丰富和提高。宫廷里虽有较为经常性的演出，但内容的空洞苍白又影响了艺术形式的发展。到了中唐以后，庄园制的封建经济逐步代替了均田制，许多失去了土地的农民流亡到都市里来从事手工业和商业活动。都市经济的繁荣，市民阶层的壮大，为民间戏曲的经常演出准备了物质条件和群众基础。根据钱易的《南部新书》，唐代的首都长安已有许多戏场集中在慈恩、青龙、荐福、永寿等几个大寺院里。到了北宋时期，汴京的各大乐棚就长年累月、风雨无阻地演出各种杂剧和曲艺。民间的演出总是较宫廷里的演出丰富而有生气，因此在唐玄宗开元时期就设置教坊和梨园，掌管各种来自民间的俗乐。许多在梨园演出的艺人自称皇帝梨园弟子，有的乐工更受封官职，和士大夫交往，开始改变了过去俳优、侏儒的宫廷奴隶地位。唐时称宫廷里的侏儒作矮奴，高的不过三尺左右，是由湖南的道州进贡的。到唐德宗时期才由道州刺史阳城的上奏而停止。我想这首先由于我国社会发展到中唐以后，宫廷里的演出主要由皇帝梨园弟子、宜春院教坊内人来担任，由宫廷里豢养一批矮奴来演出的制度已成为可有可无的东西，阳城的上奏才能得到皇帝的批准。

中唐以后，由于各种歌舞杂戏在大都市里经常演出，可以不断汲取广大人民的生活内容和艺术养料来丰富自己；同时由于演出场所逐渐固定，有利于各种艺术的交流融合，从而促进了以综合各种艺术因素为其特征的戏曲的产生。民间歌舞杂戏的繁荣，还改变了宫廷里豢养俳优来演出的情况，乐工舞伎的社会地位在一定程度上有所提高。到了后来，有些文人也愿意跟他们合作，共同为丰富演出的内容、满足观众的要求而努力。正是在这种情况之下，我国戏曲从中唐以后得到飞跃的发展，经过五代、北宋，达到了成熟的阶段。

现在我想谈谈从中唐以后发展起来的官伎制度和戏曲发展的关系。中唐以后，在长安、洛阳、成都、扬州等地方由于商业发展，人口集中，出现了许多卖艺而兼卖笑的妓女。当时的封建官僚为了达到自己荒淫无耻的目的，把她们编好名籍，集中在行院里，选定一个色艺兼优的妓女做行首。官府里有需要演出的时候，可以随时叫她们来，这叫作“唤官身”。官伎们除承应官府外，可以在勾栏里自己演出，这使她们有可能为了符合广大观众的要求而逐步提高自己演出的水平。我国宋元时期许多优秀演员，多数是当时著名的官伎。我国戏曲里旦角的表演艺术特别丰富，旦角的戏往往更能吸引人，也与此有关。

这里还有一点值得提到，就是隋唐时期从高昌、龟兹流传来的胡部乐，以及两宋时期传入中原的“辽金杀伐之音”，丰富了我国民间原有的音乐，在后来戏曲的乐调上起了有益的影响。

总之，从秦汉直至初唐，民间的各种艺术表演由于没有固定的场所和经常的演出而难于积累经验，不断提高。宫廷及贵族家里虽然养了一批俳优、侏儒、歌儿、舞女，由于他们长期过着被禁闭、被玩弄的奴隶生活，他们演出的艺术内容也不可能得到充实发展。中唐以后，各大都市的官伎既有了固定的演出地点和经常性的演出；利用民间艺人的供奉宫廷、承应官府，又在相当大的程度上改变了宫廷、贵族豢养大批奴隶来演出的做法。正是在这种情况之下，从秦汉以后发展起来的各种构成戏曲艺术的因素，到中唐以后，很快就在许多民间专业艺人的手里融合起来，出现了完整的戏曲形式。然而宋元时期的“唤官身”，依然是奴隶制度在我国戏曲史上的残余影响。

这种制度本身和伴随着这种制度而来的对戏曲事业的贱视，一直妨碍着我国戏曲事业的健康发展。直到新中国成立，这种封建社会残余下来的思想意识，才在我们人民戏曲事业中得到彻底的清除。

伴随着中唐以来封建社会庄园经济的发展和都市的繁荣，文艺本身的发展也达到了可以产生完整的戏曲艺术的阶段。这里值得我们注意的是话本小说、说唱文学以及各种队舞和杂戏的发展，包括院本、杂剧、傀儡戏、皮影戏等在内。话本小说不但替戏曲准备好了故事内容，同时刻画好了人物形象。最早的戏曲艺人要把曹操、诸葛亮、关羽、张飞等形象从陈寿的《三国志》里直接搬上舞台是困难的，经过说话人的转手，困难就少得多。罗烨《醉翁谈录》记录南宋时话本小说名目一〇九种，许多都是宋元戏曲的题材，于此可以了解话本小说和戏曲的亲密关系。说唱诸宫调跟戏曲的距离又近了一步，因为它更替戏曲准备好了乐曲和唱腔。傀儡戏、皮影戏多演历史故事，它们给我国戏曲的舞台动作和脸谱以更多的影响。各种队舞使戏曲的舞蹈身段和扮相更美也更多样了。

在构成戏曲艺术的各种因素里，更为重要的带有决定意义的因素是中唐以来长短句歌词、话本小说、说唱文学的发展，以及跟着这些新的文艺部门的发展而发展的现实主义创作精神。它表现在思想倾向上是爱憎分明，像《梦粱录》所说的："公忠者雕以正貌，奸邪者刻以丑形。"表现在创作方法上是依照不同类型的人物来描写他们的精神面貌，如《醉翁谈录》里所叙述的那样①。这种文艺上的进步因素使一些具有进步的思想倾向和完整的艺术形式的戏曲剧本的产生成为可能。而剧本的产生无疑地使我国戏曲事业的发展达到了一个飞跃的阶段。关汉卿、王实甫、施君美等杰出作家的作品正是在这种历史条件下出现的。

当我国戏曲事业在广大人民哺育之下得到飞跃发展、给广大人民的反封建斗争带来了鼓舞力量时，它不能不引起封建统治阶级的嫉视。他们先是毛手毛脚地加以干涉、禁止。禁止不了，于是搜集民间优秀的剧本加以窜改和歪曲。最后是豢养一批御用文人，大量编写教忠教孝的剧本，为他们的阶级利益服务。封建统治阶级的这些做法，虽然也暂时地局部地给我国戏曲事业的发展带来消极的因素；然而由于戏曲是跟广大人民密

① 《醉翁谈录》原文："说国贼怀奸从佞，遣愚夫等辈生嗔；说忠臣负屈衔冤，铁心肠也须下泪；讲鬼怪令羽士心寒胆战；论闺怨遣佳人绿惨红愁；说人头厮挺，令武士快心；言两阵对圆，使雄夫壮志；谈吕相青云得路，遣才人着意著书；演霜林白日升天，教隐士如初学道。"这虽然是就说话技艺说的，实际也是说唱、戏曲等通俗文艺的共同要求。

切联系的艺术，封建王朝或地方官府的干涉，在离开他们的耳目所及的地方常常不起作用。宋元以来的统治者也经常公布一些禁止演出的剧目，其中包括《赵贞女》《王魁》等为人民爱好的戏。然而禁者自禁，演者自演，这些优秀戏文七八百年来在我国舞台上并没有绝迹过。至于那些御用文人编的戏曲如《月令承应》《劝善金科》等，它们的演出范围往往不能跨出宫廷大门一步。

和大都市里的戏曲演出因有固定的游艺场所和专业的行会组织而愈来愈吸引人的同时，一些较小的市镇以及农村里的戏曲活动也频繁起来了。这些市镇和农村里的戏曲活动的方式主要有两种：一种是农民在业余时间自己组织起来演唱，它们的规模一般比较简单，音乐唱腔比较自由，像《南词叙录》所形容的初期永嘉杂剧："即村坊小曲而为之，本无宫调，亦罕节奏，徒取其畸农、市女顺口可歌而已。"后来流行在各地方的对子戏（由一旦一丑或一旦一生对演）、三小戏（由小旦、小生、小丑合演）是同样性质的东西。一种是由大都市的行院组织班子到其他市镇或乡村演出，如《宦门子弟错立身》里所说的"在家牙队子，出路路岐人"，《蓝采和》杂剧里所说的"村路岐"。元代的太行散乐忠都秀到山西等处作场（见山西赵城县霍山广胜寺所遗元代壁画），也是这种性质。这种演出情况使我国戏曲在发展过程中始终跟广大人民密切联系，从而永远保持它艺术生命的青春。

跟上面说的戏曲在都市和农村里演出的情况相关，我国宋元以来戏曲主要是通过下面三种方式向艺术形式的多样化发展。一种是各地民间流行的说唱或歌舞，在当地或外来剧种影响之下，逐步向戏曲形式发展。这些戏曲演出一般带有浓厚的地方色彩和扑人的生活气息；但音乐、唱腔不免单调一些，故事内容不免简单一些，往往只能在某一地区流行，如河北的丝弦戏、上海的滩簧戏、闽南的采茶戏、云南的花灯戏等。一种是某些地方小戏在流行到都市以后，在艺术上吸收了其他大型剧种的长处，逐渐发展成为流行国内广大地区的大型戏。南宋时期的永嘉杂剧流行到杭州以后，很快就发展成为全国性的南戏是如此；近几十年来嵊县的“的笃班”流行到杭州、上海以后，很快就发展成为全国性的越剧，也是如此。另一种方式是一些有广泛影响的大型剧种流行到某一地区以后，吸收某一地区的曲调唱腔，学习某一地区的语言，表现某一地区人民的生活，使它成为某一地区人民所爱好的剧种，从而在地方生根。明代南戏流传到福建之后出现了闽南戏，清代的皮黄戏流传到广东之后出现了粤剧，都是它的例子。正是在这种情况之下，自从宋元以来新的剧种不断出现，老的剧种也经常在推陈出新，使我国的戏曲艺术创造出多种不同的风格和积累下数以千计的优秀剧目。这些优秀剧目大都热情歌颂历史传说中热爱祖国的英雄，为人民的利益而斗争的战士，替人民主持正义的清官，以及为他们自己的爱情而斗争的年青一代；而无情地揭露和批判那些汉奸、叛徒，维护封建势力的老顽固，仗势欺人的恶霸，贪富欺贫的财主。我国这些优秀的剧目还有一个共同的特点，即凡是为人民所喜爱的人物，不管他们的社会地位怎样，在戏里总是以主角扮演，而且经过复杂曲折的矛盾斗争，最后总是取得胜利。长期以来，这些舞台艺术形象就这样集中反映了广大人民的思想感情，同时教育并鼓舞了广大人民在遭受残酷的封建压迫和外来侵略时坚决起来斗争。

我国戏曲既是在长期的封建社会产生的，而且过去的封建统治阶级曾经千方百计地企图利用这种文艺形式来麻醉人民和点缀他们腐化堕落的生活。因此在我国的戏曲艺术里也出现了一批内容庸俗甚至思想反动的作品。即使许多来自民间的内容基本健康的作品，由于时代的局限，也不免杂有封建性的糟粕，如封建伦理观念、因果报应思想，以及色情的表演、无谓的噱头等。我国戏曲里这种因素，长期以来在人民中间起消极影响，我们今天必须加以严肃的批判。

向来研究我国戏曲史的资产阶级学者存在着两种较为严重

的错误倾向。一种是看不到广大人民在我国戏曲艺术历史发展上所起的积极作用，而把宗庙巫觋、宫廷俳优以及历代帝王的侈陈百戏，看作是我国戏曲的来源。自从王国维的《宋元戏曲史》开了端，后来学者很少能够摆脱他的影响。我国戏曲所以富有这种旺盛的生命力，主要由于它是植根在广大人民之中，不断得到人民的培养。历代封建王朝的豢养俳优、侈陈百戏，一般只能在戏曲的艺术形式上有所丰富，他们反动的伦理观念和腐朽的艺术趣味却往往给戏曲艺术带来了坏影响。那些资产阶级学者看不到我国戏曲艺术里反映广大人民的生活与愿望的思想内容，而只看到它的一些表现形式，如曲调、舞蹈、脸谱等的变化，这就不能不把我国戏曲的起源归因于宫廷、贵族的提倡。另一种偏向是过分强调我国戏曲艺术因素中的外来影响。如王国维的《宋元戏曲史》以为“南北曲之声皆来自外国”，许地山的《梵剧体例及其在汉剧上的点点滴滴》以为我国戏曲的体例及内容有不少来自印度的梵剧。有的人更进一步说梵剧也染有外来影响，因此谈我国戏曲的起源当上溯到希腊。这种说法分明是帝国主义的文化侵略在我国学术思想上的反映。我们承认宋元时期的南北曲里杂有从契丹、女真、蒙古等少数民族带来的曲调。这些在我国少数民族中间流行的曲调在流传到我国中原地带之后，有的慢慢为汉族人民所爱好，改用汉谱歌唱，和原来在中原流行的曲调、唱腔融为一体。同时，原来在汉族人民中间流行的曲调，在受到契丹、女真、蒙古等少数民族的乐曲影响之后，也逐渐为这些少数民族所爱好。这是我国各兄弟民族在一定历史时期文化上互相融合的现象，怎么能说我国宋元时期流行的南北曲都来自外国呢？至于许地山就戏剧演出的一些共同形式来牵强附会，就更不值得一驳。不同民族的生活和历史发展既有其共同之处，反映他们的生活和思想的艺术也就不可能在形式上绝无共同之处，难道我们能因为中国的诗歌和西洋的诗歌都有音节、都要协韵，就说中国的诗歌是从西洋来的吗？

长期在我国封建历史时期发展起来的戏曲艺术，到了最近百多年来，受到帝国主义文化侵略的影响，一方面在上海、广州、汉口等大城市里演出，为了迎合那些洋场头办的胃口，出现了一批片面追求机关布景、情节离奇而趣味庸俗的剧目；一方面由于五四运动以来在部分资产阶级学者“全盘西化”的错误思想影响之下，许多人分不清戏曲里的精华和糟粕，把它一概看作封建落后的东西，全面否定。这就使我国这个时期的戏曲艺术的发展遇到了重重的障碍和困难。到了国民党反动统治和日本帝国主义侵略时期，情况更为严重，当时在北京、上海、武汉、重庆等大城市里，戏曲舞台上呈现一片混乱现象，好的剧目越来越难得上演，而像《大劈棺》《纺棉花》《铁公鸡》等恐怖、色情、思想反动的戏却大量在舞台上出现。跟着舞台剧目的混乱现象而来的是演出的场数和剧团的不断减少，演员失业的一天天增加，有的地方剧种已经长期没有上演，逐渐从人们的记忆中淡漠下去了。

（原载《学术研究》1962年第4期）

元人杂剧的本色派和文采派

文学是社会生活的反映，在不同历史时期，由于阶级形势、社会风尚的不同，文学上也必然反映出不同的风貌。特别是不同历史时期所流行的文学作品，如所谓唐诗、宋词、元曲，它们先后之间虽有其承传关系，但归根到底是在当时的社会影响之下各自形成一代的文学风貌。在同一个历史时期里，由于不同阶级、阶层对文学的要求不同，作家的生活道路、文艺爱好的各异，他们的作品又往往表现出不同的风格。风格相近的作家又自然形成彼此可以互相区别的流派，如盛唐诗人的边塞诗派、山水诗派，两宋词家的豪放词派、婉约词派。元人杂剧是我国文学史上有作品流传的最早的戏剧形式，它在思想和艺术上的成就又达到当时文艺的最高水平，部分作品七百年来上演不衰，影响也很深远。本文试图就元人杂剧的时代风貌和不同流派进行初步的探索。由于文学历史现象的复杂性和个人历史知识、理论水平的限制，文中提出的论点只能是尝试性质的。如果这些论点能引起学术界的注意，通过反复研讨，从而引出正确的结论，那么，即使原来那些不成熟的论点全被推翻，它毕竟在元人杂剧的研究工作中起了垫脚石的作用了。

元人杂剧同其他不同历史时期的文学，如唐诗、宋词、明清传奇，有其明显的不同表现，那就是它的悲歌慷慨、本色当行的时代风貌。当时杂剧创作上的主要流派，即以关汉卿、石君宝、康进之、高文秀等为代表的本色派，集中表现了这种时代的风貌。同时，随着杂剧创作的发展，以王实甫、白朴、马致远、郑光祖等为代表的文采派也在逐渐形成。

关于我国戏曲流派，明人已有论述。王骥德《曲律·论家数》说："曲之始，止本色一家，观元剧及《琵琶》《拜月》二记可见。自《香囊记》以儒门手脚为之，遂滥觞而有文词家一体。……夫曲以模写物情，体贴人理，所取委曲宛转，以代说词，一涉藻绘，便蔽本来。然文人学士，积习未忘，不胜其靡，此体遂不能废。"臧懋循《元曲选序》说："曲有名家，有行家。名家者，出入乐府，文采灿然，在淹通闳博之士，皆优为之。行家者，随所装演，无不摹拟曲尽，宛若身当其处而几忘其事之乌有；能使人快者掀髯，愤者扼腕，悲者掩泣，羡者色飞，是惟优孟衣冠，然后可与于此。故称曲上乘，首曰当行。”这些论述把我国戏曲分为本色当行的行家和文采灿然的名家二派。并认为“曲之始，止本色一家”，由于“文人学士，积习未忘”，才产生了“文词家一体”，这是符合我国戏曲历史发展的实际的。他们认为行家的成就在名家之上，这评价也是我们所可以接受的。

当行指适应于某一行业的要求，就戏曲说，是指符合于演戏的行业的要求。本色一般是就语言的自然本色，很少装饰或假借说的。语言是思想的外衣，语言的本色归根到底决定于思想内容的要求。一个接近人民群众、熟悉当时社会各种人物的作家，可以按照现实生活的本来面貌来写戏，他的戏曲语言必然是本色的。如果他还对前代流传的诗词歌赋有修养，掌握了传统诗文的有效手法，他还可以在本色的基础上设色加工。反之，如果是一个生活内容空虚的作家，专靠搬弄书本材料来写戏，即使文采灿然，也只能成为一些封建文人案头欣赏之作，是不可能通过舞台演出对群众产生积极的影响的。因此就戏曲的本色说，我比较倾向于臧懋循在《元曲选序》里的解释，即“人习其方言，事肖其本色，境无旁溢，语无外假”。所以要“人习其方言”，要“境无旁溢，语无外假”，到底还是为了"事肖其本色"，就是依照事物的本来面貌来描写。它的基本精神是符合我们今天对于现实主义的解释的。

戏曲脚本最初总是为舞台演出写的，最早的脚本往往只是舞台演出的记录。如果不本色，群众听不懂，看得也莫名其妙，它就不能适应舞台演出的要求。因此最初从民间产生的戏曲总是本色当行的。戏曲史上最早出现的戏曲作家直接向民间戏曲学习，也大都具有本色的风格。我们就初期元人杂剧来检查，关汉卿、高文秀等向来被认为是本色的作家就不必说了；就是王实甫、白朴等开后来文采一派的作家，也是在本色的基础上设色加工的。马致远开始表现较为明显的文采派的倾向。到了元剧后期，郑光祖、乔吉等作家，脱离人民群众的斗争愈远，追求文采的倾向也愈来愈显著了。

关汉卿，向来被认为元人杂剧里的最早作家之一，同时是我国戏曲史上本色当行一派作家的代表人物。他的作品所表现的进步思想，如认为官吏的贪赃枉法是人民痛苦的根源，违背子女愿望的婚姻只有给青年们带来痛苦，主张对压迫者进行报复、反抗，使他有可能写出《窦娥冤》《救风尘》《单刀会》等表现一定程度的战斗性的现实主义作品；而天从人愿、人定胜天，以及藐视敌人、坚信胜利的思想，又使他的部分作品带有浪漫主义的色彩。

从关汉卿的这种思想出发，他作品中所选择的正面人物，即剧中主角，往往是受压迫最深的下层妇女，如窦娥、赵盼儿、杜蕊娘、燕燕等，同时赋予这些妇女以坚强的反抗性格，在她们身上寄托了胜利的希望。即使不是下层妇女，如《单刀会》里的关羽、《西蜀梦》里的张飞，同样表现了斗争胜利的信心和至死不忘复仇的意志。

基于关剧这种主题思想和人物性格的要求，关剧在关目处理上有它们的特点，这就是把正面人物放在对抗性的矛盾的尖端来刻画，使他们放射出惊人的反抗火花，最后终于击败了强大的敌人，取得了胜利。在封建社会里，像窦娥、杜蕊娘、燕燕等下层妇女所遭遇到的种种侮辱、迫害，那是最常见的。因此作者就有可能更好地从现实生活选择素材，进行艺术概括，体现了高度的现实主义精神。然而由于当时统治阶级掌握了国家机器及其上层建筑，受迫害、受侮辱的下层妇女在对他们进行反抗斗争时，并不都是胜利的，特别当她们还没有组织起来的时候，要取得斗争的胜利就更加困难。这样，在故事发展到后半，也即斗争的最艰苦阶段，作者就往往不是按照客观现实的本来面目选择素材，进行艺术概括，而是在斗争中出现幻想的奇迹，如窦娥的对天誓愿，六月下雪，包公的梦见蝴蝶为蜘蛛所网，受到感动等；或者由于意外的巧合，构成胜利的条件，如《救风尘》里的坏蛋周舍要去追赶赵盼儿、宋引章，恰好驴子漏蹄了，马又产驹了，等到赶上了时，遇到的恰好是封建社会难得的清官，他不但没有胜诉，反而挨了一顿大板子。其他如窦娥死后恰好碰到她父亲去查案；王尚书招亲，恰好招着了他以前逼女儿离弃的蒋世隆，也同样是巧合的。关剧关目上这个特点可以用明人在文艺批评方面的一句话来概括："始正而末奇。"[①]"始正"奠定了作品的现实主义的基础，"末奇"表现了作品的浪漫主义精神。我国一部分长期在民间流传的故事，如千里寻夫的孟姜女，以哭倒长城结束；生死相恋梁山伯、祝英台，以裂坟化蝶终场，都具有类似的性质。可以推想关剧关目的这种安排，同样是接受了民间文学的影响的。而这一点也正好表现本色派作家与文采派作家的不同，他们主要是吸收了民间文学的营养，而没有过分重视书本上的材料。

戏剧语言的朴素、本色，决定于作家对现实认识的清楚、是非观念的分明和生活知识的丰富。这样，他就有可能从现实生活里汲取语言材料，通过现实的本来面目来打动观众和读者，而不必从书本上去搬弄模拟。一切本色当行的戏曲家在语

① 这句话见《文心雕龙》的《隐秀》篇。是明人伪作的。

言上有其共同的特征，关汉卿在这方面的成就更其突出。他在《窦娥冤》里的曲白写得那么朴素、本色，因为他对当时官府的黑暗以及它给人民带来的灾难是了如指掌的。他在《救风尘》里的曲白写得那么朴素、本色，因为他对当时受压迫受侮辱最深的下层妓女的生活和斗争既十分熟悉，对像周舍那样的浮浪子弟也一眼看透了他内心的种种活动的。

关汉卿的戏曲语言在本色、朴素之中又兼有泼辣的特色，这决定于作家强烈的感情和鲜明的爱憎。他在《救风尘》中写赵盼儿和周舍的斗嘴，《诈妮子调风月》中写燕燕对小千户的诅咒，《单刀会》中写关羽胜利归来时的豪情胜概，使读者眉飞色舞。假使关汉卿对作品中的正面人物没有深切的同情，对周舍、小千户等坏蛋没有强烈的憎恨，他的曲词、宾白就不可能写得那样泼辣。

我国文学史上的现实主义作家，如杜甫、白居易，他们主要是从儒家的民本思想、仁政思想出发，对人民有所同情，从而写出人民的痛苦，揭露官吏的贪暴，希望朝廷对此有所了解，进而改良政治，缓和阶级矛盾，来挽救封建统治阶级濒临崩溃的危机。受了新的时代气氛的激荡，人民反抗阶级压迫、民族压迫的斗争风起云涌，关汉卿在杂剧里不但写出了当时人民的痛苦，还写出了他们的挣扎和斗争，这是他超过了前代现实主义作家的地方。然而关汉卿归根到底只能从“人命关天关地”的儒家人道主义出发来反映人民的痛苦和斗争。他憎恨那不分好歹、错勘贤愚的天地，通过窦娥的口对它百般诅咒，是为了希望出现一个能为人民主持正义的天地；六月下雪，使楚州亢旱三年，对贪官污吏提出警告。他通过窦娥的口指责“官吏们无心正法，使百姓有口难言”，是为了希望出现一个“为天子分忧，为万民除害”的清官，平反人民的冤狱，恢复封建社会的正常秩序。他在《救风尘》《望江亭》《金线池》等戏的结尾都让一个地方官出来判断是非，在《诈妮子调风月》的结尾让受欺骗受侮辱的婢女燕燕在夫人的主持之下嫁给小千户做侍妾，同样表现了这种思想局限。

元人杂剧里写下层妇女的反封建压迫的戏，在关汉卿之外，首先值得我们注意的是石君宝。石君宝遗留下《曲江池》《紫云庭》《秋胡戏妻》三个戏。《曲江池》写妓女李亚仙跟郑元和恋爱的故事，当郑元和被他父亲打死时，李亚仙把他救活了，鸨母赶来，叫她撇了他回去，李亚仙说：“常言道：娘慈悲，女孝顺；你不仁，我生忿（忤逆）。”这跟封建社会认为“天下无不是的父母”，认为“父欲子死，子不得不死”的道德教条是鲜明对立的。正是在这种进步的思想指引之下，作者才有可能把李亚仙写得那样泼辣、可爱。试看她下面这一段跟老鸨顶嘴时的对白：

> ……到家里决撒喷（决裂意），你看我寻个自尽，觅个自刎，官司知，决然问。问一番，拷一顿。官人行，怎亲近，令史每，无投奔。我着你哭啼啼带着锁，披着枷，恁时分，〔云〕走到衙门前，古堆邦（孤单单的样子）坐的。有人问，妈妈你为甚么来，送了这孤寒的老身？妈妈道，这都是那生忿的小贱人送了我也！

这就说明如果鸨母不答应她和郑元和结合，她便要以性命相拼，就是死了也要叫她吃官司，休想从她身上捞到半点便宜，并把她自杀以后老鸨怎样在衙门里披枷戴锁、吃拷受问的景象生动地比画给她看。这些语言是从当时妓女本身的生活里概括出来的，它是多么本色；同时它把妓女同老鸨的斗争表现得那样尖锐、激烈，因此它又是十分泼辣的。正是在这样坚强的反抗者面前，那老鸨终于让她把那穷光邋遢的郑元和留在家里才是可以理解的。

《紫云庭》写一个卖唱的妓女韩楚兰跟一个官家公子灵春马爱上了，遭到老鸨和那官老爷的反对，她就和灵春马双双私奔，一路以卖唱为生。后来那官老爷访到了他们的行踪，叫他们到官府里来说唱，并终于让他们团圆。这剧本虽然是个节略本，没有宾白，但从主角韩楚兰的唱词来看，它是完全依照一个冲州撞府、卖嘴说唱的妓女的特定性格来写的。她受压迫更深，生活经历更丰富，因此斗争也更有办法。韩楚兰在开场时，表白她自己的生活说：

> 我勾栏里把戏得四五回铁骑；到家来却有六七场刀兵。我唱的是《三国志》先饶十大曲，俺娘便《五代史》续添《八阳经》①。

铁骑、刀兵都是战争故事，《三国志》《五代史》也都是说唱的篇目。这些话真正做到了“人习其方言，事肖其本色，境无旁溢，语无外假”。然而它又多么动人地概括了韩楚兰的生活，表现了她和老鸨之间尖锐的矛盾啊。

现在我们试来看看韩楚兰决心要跟老鸨决裂时的表白：

---

① 《十大曲》是金元时期民间流行的十首词，见《阳春白雪》卷一；《八阳经》是西域竺法护译的《八阳神咒经》，是当时“说经家”演唱的篇目。

今后去了这驮汉子的小鬼头，看怎结末那吃勤儿的老业魔，（勤儿是指那些向妓女献殷勤的公子哥儿，老业魔即骂老鸨，结末意即结果。这二句意即我要走了，看你有什么办法？）再怎施展那个打鸳鸯抖搜的精神儿大。则明日管（定会意）舞旋旋空把个裙儿系，劳攘攘干（徒然意）将条柱杖儿拖，早则没着末（意即没归宿），致仕了弟子（即妓女），罢任波虔婆（即老鸨）。

被骂作虔婆的老鸨是靠那被称作弟子的妓女过活的。妓女不干了，老鸨也只好跟着“罢任”了。这不仅仅是妓女和老鸨之间的关系，在阶级社会里同时也说明了一切被剥削者和剥削者之间的关系的。这些关系只有那些深受剥削的人们认识得最清楚。在封建社会的作家也只有跟这些被剥削者生活在一起，才有可能认识这种关系，从而把封建社会里这些下层人物写得那么泼辣、鲜明。

《秋胡戏妻》同样是元人杂剧里的杰作，作品里突出的思想是认为妻子为了“整顿妻纲”可以教训教训丈夫。正是在这种进步思想指导之下，作者才有可能把女主角罗梅英的反抗性格写得那么鲜明、泼辣。当她母亲要她改嫁那有钱的李大户时，她可以拿自己那经受过长期艰苦生活考验的硬性子来把她顶回去说：“只我那脊梁上寒噤是挨过这三冬冷，肚皮里凄凉是我旧忍过的饥，休想道半点儿差迟。”当她丈夫在她面前流露出一副无耻嘴脸时，她会主动向他讨休书，表示宁可沿街讨饭也不能跟他共同生活。

从《曲江池》《紫云庭》看，石君宝对城市下层人民的生活十分熟悉；从《秋胡戏妻》看，他把乡村劳动人民的生活环境又写得那么真切动人。他写罗梅英远望那桑园的景象是：“俺只见野树一天云，错认做江村三月雨。”写她到了桑园时的景象是：“只见那浓阴冉冉，翠锦哎模糊，冲开它这叶底烟，荡散了些枝头露。”这些曲子不仅把剧中人物的生活环境诗化了，同时流露了作者对这种生活环境的喜爱心情。关剧就这方面看，未免显得逊色，虽然他描写城市下层人民的生活和斗争有超过石君宝的地方。

为石君宝杂剧创作的这种思想倾向和人物性格所决定，在关目安排上也总是把人物放在带有对抗性质矛盾的尖端来刻画的。

然而生活在七百年前的石君宝还不可能为李亚仙、韩楚兰、罗梅英等受侮辱、受迫害的妇女找出一条跟封建家长决裂的道路，因此，作者写她们受侮辱、受迫害时的反抗斗争虽十分动人，而在经过斗争，矛盾缓和下来之后，依然只能以一家父子夫妇的大团圆结束。这同关汉卿的《诈妮子调风月》、杨显之的《潇湘雨》，在结局上有其类似之处。前人说元人杂剧到第四折往往成为“强弩之末”，主要因为作家在最后解决问题时往往流露了调和阶级矛盾的倾向，损害了前面那些在斗争中表现得十分坚强的人物的性格。

杨显之是关汉卿的“莫逆之交”，他的《潇湘雨》也跟关汉卿的《窦娥冤》一样，七百年来一直上演不衰。剧本写崔通先贫后富，入赘高门，把千里迢迢来找他的原妻张翠鸾当作逃奴，刺配沙门岛，深刻揭露了封建统治阶级的残酷。然而作者事先既把张翠鸾安排做谏议大夫张商英的女儿，为后来的勉强团圆打了埋伏，又写她的受难是因她父亲触犯淮河神引起的，这就用封建迷信的思想掩盖了阶级矛盾的实质。在我们今天看来，他的另一个戏《酷寒亭》却更值得注意。这个戏里写的人妻小妇争风吃醋、通奸谋害等情事也是当时杂剧中常见的；值得注意的是剧中以主角登场的草莽英雄宋彬和店小二张保的形象。下面就是张保登场时的一段自白：

小人江西人氏，姓张名保，为天兵勘乱①，遭驱被掳，

① 此句《元曲选》本作“因为兵马嚷乱”，现据《古名家杂剧》本改正。

来到回回马合麻沙宣差衙里。往常时在侍长行，为奴作婢，他家里吃的是大蒜、臭韭、水答饼、秃秃茶食，我那里吃的！……他屋里一个头领，骂我蛮子前，蛮子后。我也有一爷二娘、三兄四弟、五子六孙，偏你是爷生娘长，我是石头缝里迸出来的！谢俺那侍长见我生受多年，与了我一张从良文书。本待回乡，又无盘缠。如今在这郑州城外，开着一个小酒店儿，招接往来客人。昨日有个官人，买了我酒吃，不还酒钱，我赶上扯住道，还我酒钱来。他道：你是什么人？我道：也不是回回人，也不是达达人，也不是汉儿人①，我说与你听者：〔唱〕我是个从良自在人。

这段自白生动地反映出元初的民族矛盾和阶级矛盾。由于当时元朝分中国人为四等：蒙古人最贵，色目人次之，汉儿人又次之，南人最贱，这个已经从良的奴隶被人家白吃了酒还不敢承认自己是南人。宋彬是个路见不平、拔刀相助的英雄人物。后来判罪刺配沙门岛，又扭开枷锁，打死解差，继续在山中聚义反抗。剧中的郑孔目在郑州府衙里做司吏，本是封建统治阶级

① 回回人是色目人的一种，达达（即“鞑靼”）人即蒙古人，汉儿人指当时中国北方的汉族和女真、契丹等族的人民。

的帮凶，却依靠一度结识这个草莽英雄，才能保护自己。这就多少反映了当时农民起义的声势已引起统治阶级内部的分化。宋彬在下场词里说："今天下事势方多，四方里竞起干戈。其大者攻城略地，小可的各有巢窠。"这是当时中国人民到处以武装斗争反抗元朝统治的真实反映。杨显之还写过《黑旋风乔断案》的水浒故事戏，可惜没有流传。

杨显之虽没有像关汉卿、石君宝那样擅长写城市下层人民的反抗，却已在部分作品里描写了领导农民起义的英雄人物。他又是一个和民间艺人合作，擅长改编民间戏曲的作家[①]。决定于他的这种思想倾向和创作道路，他杂剧的曲白、关目也向来是以本色当行著称的。

元代前期已出现了专写水浒故事戏的作家，高文秀写了八种，康进之写了两种，红字李二写了五种。这是元代广大农民的武装斗争在杂剧创作上的鲜明反映。从现在流传下来的高文秀《双献功》、康进之《李逵负荆》、李文蔚《燕青博鱼》、无名氏《黄花峪》等几个水浒戏看，它们的共同表现是：

---

① 他和当时著名杂剧演员顺时秀熟悉，顺时秀尊敬他作伯父，又因擅长于替民间流传的杂剧补写词曲，因此被称为"杨补丁"。

一、剧中受迫害的人物不再向官府控诉，而请求梁山英雄为他们报仇除害。这跟那些以清官判案结束的公案戏有本质的区别。

二、把梁山水浒的环境和梁山英雄美化了。如《李逵负荆》写梁山泊环境是“雾锁着青山秀，烟罩定绿杨州”，一片和平美好的景象。写梁山英雄为了人民的利益，可以拿头颅相赌。《双献功》《黄花峪》都写梁山英雄只身深入虎穴，铲除了那些为非作歹的恶霸。《黄花峪》写梁山泊“纵横河港一千条，四下方圆八百里。东连大海，西接咸阳，南通巨野金乡，北靠青、济、兖、郓。有七十二道深河港，屯数百只战舰艨艟；三十六座宴台，聚百万军粮马草。声传宇宙，五千铁骑敢争先；名播华夷，三十六员英雄将”，就俨然是一个气象兴旺的独立国家。

三、写梁山军内部既纪律严明，又上下团结。义军领袖之间各以兄弟相待，不像封建统治阶级内部的上下等级森严，又彼此争权夺利。

四、全剧关目紧凑，往往一波未平，一波又起，曲词本色当行。《李逵负荆》在这方面取得的成就尤为显著。从《李逵负荆》中人物矛盾的产生、发展、解决看，是合情合理的。李逵和宋江的矛盾是因李逵误听人言、不明事实真相引起的。后来他们调查了事实，分清了是非，问题就跟着解决了。在一些小关目上又处处体现了喜剧的风格特征。如第一折老王林一边替李逵打酒，一边一把眼泪一把鼻涕地向他诉说自己女儿满堂娇的被抢；第二折李逵上山模仿老王林的做作声口，向宋江、吴用转述老王林的不幸遭遇；第三折李逵和宋江、鲁智深下山对质时又模仿满堂娇的声口，赚老王林打开门来就抱住他当自己的女儿痛哭。这些地方见出作家在安排关目时已注意到全剧风格的一致性。曲词既本色，又泼辣；既整练，又流走，完全可以和关汉卿、石君宝并驾齐驱。又往往在曲词中插入说白，曲白结合得更好。

元人杂剧里有不少公案戏，包括关汉卿的《窦娥冤》在内，揭露封建社会的黑暗相当深刻，但归根到底是希望朝廷派个清官来替代那些贪官污吏，把政治改良一下。水浒戏就不同，它是反映当时广大农民要求推翻封建地主阶级的统治的，这就在一定程度上表现当时人民的革命性。

以关汉卿、石君宝为代表的描写下层妇女反抗封建压迫的戏[①]，以康进之、高文秀为代表的描写农民起义英雄的戏，以及纪君祥的《赵氏孤儿》，李直夫的《虎头牌》，无名氏

① 这里就他们的主要成就而言。

的《昊天塔》《谢金吾》《赚蒯通》《陈州粜米》等，它们共同构成了以悲歌慷慨、本色当行为其风格特征的元人杂剧的主流。它们的成就有大小，但可以肯定都是带有一定理想色彩的现实主义作品。这在《窦娥冤》《单刀会》《秋胡戏妻》《紫云庭》《李逵负荆》《昊天塔》《陈州粜米》等杂剧里表现尤为明显。它们是当时广大人民在深重的阶级压迫和民族压迫中进行坚决反抗的艺术反映；同时是作家们深入下层人民生活并和民间艺人密切合作的成果。

在向来认为本色派的元剧作家里还有另一种类型，它可以郑廷玉、武汉臣为代表。在郑廷玉现传六个杂剧中，《看钱奴》是最能表现他的独特风格的。剧本写秀才周荣祖带着老婆儿子上京应考，回到家来因墙下藏金被掘，穷得活不下去，只得把亲生儿子卖给当地财主贾仁做养子。过了二十年，贾仁已死，他的养子贾长寿到泰安东岳神庙去烧香，正好周荣祖夫妇乞讨到泰安，也在神庙里过宿，就在偶然的机缘里父子相认，一家又得团圆。剧本写周荣祖贫穷落魄，忍痛卖子，以及贾仁的刻薄、悭吝，那是按照事物的本来面貌描绘，并表现了作家高度艺术概括的才能的。他写贾仁看上了周荣祖的儿子，但又舍不得出钱，于是特意叫他在字据上写明：“不许反悔，如有反悔，罚宝钞一千贯。”周荣祖问他：“那反悔的人罚宝钞一千贯，我这正钱可是多少？”他说：“我是个财主，指甲里弹出来的你也吃不了。”可是当他把孩子领过来之后，周荣祖问他要恩养钱，他不但分文不给，反过来要周荣祖给他钱。他的理由是周荣祖养不起孩子，如今这孩子在他家里吃饭，就得付饭钱。这场戏把贾仁对穷人的残酷剥削，做了无情的揭露，他连穷人卖儿子的钱都要赖掉，那还有什么不赖的呢？这种刻薄性格是剥削阶级最本质的东西，然而作为一个看守金钱的奴才，贾仁性格里还有另一方面：悭吝。试看他临终时跟儿子的对白：

贾仁：我儿，我这病觑天远，入地近，多分是死的人了，我儿，你可怎么发送我？

长寿：若父亲有些好歹呵，您孩儿买一个好杉木棺材与父亲。

贾仁：我的儿，不要买。杉木价高。我左右是死的人，晓的甚么杉木柳木？我后门头不有那一个喂马槽，尽好发送了。

长寿：那喂马槽短，你偌大一个身子装不下。

贾仁：哦，糟可短，要我这个身子短也容易，拿斧子来把我这身子拦腰剁做两段折叠着，可不装下了？我儿也，我嘱咐你：那时节不要咱家的斧子，借别人家的斧子剁。

长寿：父亲，俺家里有斧子，可怎么问人家借？

贾仁：你那里知道，我的骨头硬，若使我家斧子，剁卷了刃，又得几文钱钢。

读者看到这里可能要笑痛肚皮，然而就在这些地方，作品血淋淋地揭示了一个被金钱腐蚀了的丑恶灵魂，暴露了剥削阶级的本性：金钱就是生命，就是一切。而为了这一点，甚至在他呼出最后一口气时，还估摸着怎样占人家的便宜。

从《看钱奴》这些描绘看，不能不承认郑廷玉是个现实主义的作家。然而剧中这些人物活动，依照作者的主观解释，都是命中注定的；因此杂剧开场时，就由东岳增福神上场，把周家的福力借给那穷苦的贾仁二十年。这样，贾仁便在砌墙角时挖到了周家的藏金，替周家看守二十年的财产，最后仍通过他养子贾长寿的手交还给周家。贾仁有了泼天也似家私，为什么还那样刻薄、悭吝呢？在作者看来，不是由于他的剥削阶级本质所决定。恰恰由于他原来是个做泥水匠的“穷贾儿”，他只能依照神的意旨替那大财主周家看管二十年的钱财，而丝毫不能动用它。这又是多么荒谬的想法啊。

郑廷玉的另一个影响比较深远的《后庭花》杂剧，通过两件比较复杂的通奸谋杀案，一定程度上反映了当时社会的混乱与官府的黑暗，同时带有鬼神迷信的色彩。他的《楚昭公》杂剧写吴兵侵楚的历史故事，曲折反映了侵略战争给人们带来的灾难；同时宣扬“贤达妇三从四德”“仁孝子百顺千随”的封建道德，还有龙神救护孝子贤妻的描写。

和郑廷玉同时的作家武汉臣，他的《生金阁》杂剧题材跟关汉卿的《鲁斋郎》相似，都是写恶霸强占人家妻子的故事，具有深刻的现实内容，然而作品远没有《鲁斋郎》动人。这首先由于作家的宿命论思想，把剧本主人公郭成的不幸遭遇看成是命定的“血光灾”，削弱了作品的现实意义。其次是正面人物郭成没有写好，作者写他热衷功名，主动向那恶霸出妻献宝，因而招致了不幸，这就降低了人们对他的悲剧的同情。

他的《老生儿》杂剧写的本是地主家族内部争夺家私的丑剧，作者从封建宗法观念出发，大力加以赞扬。

从上面介绍的郑廷玉、武汉臣的杂剧看，可以概括出它们的风格特征是：

一、作品一般缺乏进步的思想倾向，虽然部分场子反映了社会现实，有时还揭露得相当深刻，但往往同时宣扬了宿命论和封建道德。血淋漓的现实惨象和不可抗拒的命运安排、阴森恐怖的鬼神场景交互出现，构成了这些作品的特色。元人杂剧里一些无名氏的公案戏，如《盆儿鬼》《朱砂担》《神奴儿》等，同样表现了这种风格特征，它们在民间都有深远的影响。

二、剧中正面人物的不幸遭遇写得相当动人，但缺乏坚强的反抗性格，有时作品中的反面人物比正面人物更能吸引人。

三、全剧关目往往从作者的主观想法来安排，而不是从剧中人物的不同环境、性格出发，展开戏剧冲突。由于作家的宿命论思想的支配，往往在作品开始时就出现“神奇”的情节，如由神直接上场宣布剧中主角的命运，或由一个算命先生透露神的意旨，然后按照人物预定的命运安排关目。这些情节是“神奇”的，然而它是歪曲了现实的。而在一些有理想的现实主义作家，总是在戏剧矛盾发展到高潮，剧中正面人物利用一些现实所可能的条件进行斗争而依然未能取得最后胜利时才出现奇迹，如《窦娥冤》的六月飞雪，《孟姜女》的哭倒长城，给人一种“精诚所至，金石为开”的感觉，表现了“人定胜天”“天从人愿”的精神。郑廷玉等作品的最后有时也出现巧合的关目。如贾长寿到东岳神庙烧香，正好碰到周荣祖夫妇在那里乞讨。作家这样安排是为了证明神所预定的不可改变的命运，这就不可能给读者一种新奇的感觉。然而由于郑廷玉等作家对当时人民的痛苦是有一定的认识的，他们又都熟悉舞台生活，因此剧中的部分场子，如《看钱奴》的“卖子”，《生金阁》的“献宝”，基本上都是按照现实的本来面貌安排关目、展开矛盾，跟关汉卿一派作家有其一致之处。

四、语言朴素、本色，但不像关汉卿一派的泼辣。

从上面这些风格特征看，这类作家看到了被压迫人民的痛苦，但看不到他们的反抗斗争。他们对受迫害的人民有同情，对黑暗的社会现实有不满，因此在作品里局部地反映了现实。然而由于他们没有企图跟广大人民一起斗争来改变自己的命运，而把希望寄托在神灵、在宗教、在封建统治者，这就使他们不可能像关汉卿一派作家那样在现实中汲取战斗力量，赋予他们的作品以理想的色彩和乐观的精神。

元人杂剧中这一派本色作家跟关汉卿一派有明显的区别。如果我们肯定关汉卿一派是有理想的现实主义作家，那他们就只能是爬行的或鼠目寸光的现实主义作家。也正因为这样，前一派的作品往往兼有积极浪漫主义精神，而后者往往蒙上了一层消极浪漫主义的阴影。

元人杂剧里这两种不同流派的产生，首先决定于不同阶级的观众对戏曲的不同要求。从蒙古灭金到在全中国建立元朝统治的初期，在淮河以北的广大地区，民族矛盾和阶级矛盾交错在一起，广大人民反对民族压迫和阶级压迫的斗争前赴后继，他们必然要求在戏曲舞台上看到自己的斗争和胜利，看到敌人的丑恶和失败。这就是关汉卿一派本色作家作品产生的根本原因，同时构成了元剧风格的主要特征。然而当时中国北方的封建社会结构并没有因金元的交替而有所改变。封建社会的思想意识，特别是忠孝节义等道德观念，虽没有像中国南方那样由于理学家的宣传而深入人心，却依然是占统治地位的意识形态。元初的统治者为了巩固它的封建统治，更大力提倡佛道等宗教来麻痹人民的反抗思想。从郑廷玉、武汉臣等作品里，我们明显看到了统治阶级思想意识的影响。当然，比之关汉卿一派作家，他们的作品就比较受到统治阶级的欢迎。

其次决定于不同作家的生活经历和对待生活的态度。今天我们对元代杂剧作家的生活经历知道得很少。然而从蒙古灭金后就废除科举，断绝了许多出身中小地主阶级的士子在政治上向上爬的道路；当时杂剧作者大多数是在政治上找不到出路终于和倡优合作的书会才人。这就使他们比较熟悉下层人民的生活，同时在和倡优合作之中逐步掌握了杂剧的艺术形式。这是关汉卿一派作家和郑廷玉一派作家在戏曲创作方面的共同生活基础。这种共同的生活基础，使他们的杂剧都有较为浓厚的生活气息，语言朴素、本色，关目紧凑、当行，符合当时舞台演出的要求。然而关汉卿通过《窦娥冤》《救风尘》等杂剧表示要对敌人进行针锋相对、至死不屈的斗争；而郑廷玉在《忍字记》里宣扬的却是“得忍且忍，得耐且耐，不忍不耐，小事成大”的人生哲学。石君宝在《曲江池》里认为对待不仁的父母，子女也可以不孝，在《秋胡戏妻》里认为妻子可以教训教训丈夫来“整顿妻纲”。而郑廷玉在《楚昭公》里宣扬的却是“贤达妇三从四德”“仁孝子百顺千随”。这种对生活的不同态度不能不在他们杂剧创作的风格上表现出来。

最后还有文艺本身的传统影响。我国向来认为“燕赵多慷慨悲歌之士”。由于燕赵地处边塞，人民生活艰苦，又常常有战斗，因此在诗歌风格上也颇为悲壮。汉魏乐府里的《入塞》《出塞》《关山月》等横吹曲，以及南北朝乐府中的北方民歌《木兰辞》《敕勒歌》等，充分表现了这种慷慨悲歌的传统。到盛唐时期，高适、岑参等的边塞诗又继承这传统而有所发展。从金人的南下到元兵的灭宋，在这漫长的一个半世纪里，北方中国人民的斗争特别艰苦，同时从契丹、女真等民族流传进来的在马上弹唱的音乐，又发展了北方的乐曲风格，使它更适合表现富有战斗性的曲词的内容。徐渭《南词叙录》：“今之北曲，盖辽金北鄙杀伐之音，壮伟狠戾，武夫马上之歌。”又说：“听北曲使人神气鹰扬，毛发洒淅，足以作人勇往之志，信胡人之善于鼓怒也。”这是善于形容北方乐曲的慷慨悲歌的风格的。以关汉卿为代表的集中在当时“玉京书会”里的“燕赵才人”①，他们所写的以北曲演唱的杂剧可说是“燕赵悲歌慷慨”的文艺传统在新的历史时期的发展。然而应该看到，在我国文学史上有慷慨悲歌的作品，也有愁苦悲叹的作品。在汉魏乐府里，《陌上桑》《羽林郎》和《孤儿行》《妇病行》同样反映了当时的现实，然而前者给人明快的感觉，后者就使人读了心情沉重。严羽《沧浪诗话》说：“高岑之诗悲壮，读之使人感慨；孟郊之诗愁苦，读之使人不欢。”可见唐诗里同样有这种不同风格的流派。下至宋人话本，如《碾玉观音》中的璩秀秀，《郑意娘传》中的郑意娘，多少给人一些悲壮的感觉。如《菩萨蛮》《志诚张主管》中的人物就缺乏一种鼓舞人向黑暗现实斗争的力量。我国文学史上这些不同作家作品的风格特征在元人杂剧里同样表现出来。

现在我们再来看看元人杂剧里的文采一派，即臧懋循所称为名家的。

向来有人认为王实甫《西厢记》是元人杂剧里文采一派

① 根据贾仲明在《录鬼簿》里的题记和吊词看，当时在大都影响最大的玉京书会就集中了关汉卿、白朴、赵子祥等好些作家。

的代表作，明代戏曲评论家何元朗说它“调脂弄粉”，又说它“才情富丽，真辞家之雄”，意即说它不本色。王骥德不同意他的看法，他说：“《西厢》组艳，《琵琶》修质，其体固然。何元朗并訾之，认为《西厢》全带脂粉，《琵琶》专弄学问，殊寡本色。夫本色尚有胜二氏者哉？”“其体固然”是说作品的内容要求这样。王实甫写张生、莺莺的故事，他们本来是有文学修养的青年，如果不用这些华丽的词句，反而不能表现他们的本色。王骥德从作品的内容要求出发理解本色，而不仅仅根据词句的是否华丽来判断，见解确在何元朗之上。我们从《西厢记》的思想倾向、人物描写、关目安排等方面来看，应肯定王实甫是一个有理想的现实主义作家。就这方面看，他跟关汉卿、石君宝等本色作家有其基本一致之处。然而比之关汉卿一派，王实甫的戏曲确实给人 种文采灿然的感觉，因为他在本色的基础上做了较多的设色加工，而这正是表现戏曲史上文采一派的最高成就的。

比之关汉卿、石君宝等擅长写下层妇女的反抗斗争的作家，王实甫就较多地选择上层统治阶级里带有叛逆性格的人物来描绘。这不仅《西厢记》，就是他现传的另一个戏曲《丽春堂》也是写统治阶级内部矛盾的。王实甫也写过妓女苏小卿的戏，现在还残留下一折，然而比之关汉卿的《救风尘》《金线池》，石君宝的《曲江池》《紫云庭》，就未免逊色。王实甫剧中的主角虽然在某一个问题上对封建统治阶级不满，如崔莺莺在婚姻问题上对老夫人不满，完颜丞相在用人问题上对朝廷不满，然而他们本身就是统治阶级的成员，在更多问题上和统治阶级利益一致。这就决定他们在矛盾冲突中所表现的性格不如关汉卿、石君宝剧中人物性格的坚强、泼辣。我们如拿杜蕊娘、李亚仙对鸨母的态度和崔莺莺对老夫人的态度比较，可以明显区别出来。其次是在人物描绘上较多采取抒情诗人的手法，由景入情，情景交融，而不像关汉卿那样从人物的不同社会地位出发描写他们对事件的不同态度，由一个矛盾引出另一个矛盾，一步步突出人物的性格特征。最后是较多吸收传统诗词中的词汇、句法到戏曲中去，曲词显得比较整练、华美，而不像关汉卿一派作家的善于提炼当时下层社会各种人物的口头语言，以本色、泼辣著称。

和王实甫同时的杂剧作家白朴，风格基本上和王实甫相近，但从他的《梧桐雨》杂剧看，就带有更多感伤的情味。

元人杂剧里在王实甫、白朴之外，还有另一类以文采著称的作家，马致远在这类作家里有其代表性。明代文人特别喜爱马致远的作品，明初朱权的《太和正音谱》列他为“群英之首”，不是偶然的。

以马致远为代表的这类作家作品，不但曲词、宾白比较华丽，而且表现了更多的封建文人的思想意识。这不仅跟那些接近下层人民和民间艺人的本色派作家不同，就是比之王实甫、白朴等擅长写封建统治阶级内部叛逆者的形象的作家，也有明显的区别。就马致远遗留下来的七个杂剧看，《汉宫秋》是成就最高的作品，作品中的主角汉元帝以为边塞久和，忠臣有用，可以高枕无忧，可是一旦敌兵压境，君臣上下，一筹莫展，这些描写对封建没落王朝的批判相当深刻。另一方面作品还通过毛延寿勾引外族入侵和王昭君投江殉国，曲折反映了当时的民族矛盾。他的《荐福碑》杂剧通过书生张镐的不幸遭遇，一定程度上反映了元代政治的黑暗、社会的混乱。他说：

> 这壁拦住贤路，那壁又挡住仕途，如今这越聪明越受聪明苦，越痴呆越享了痴呆福，越糊突越有了糊突富。则这有银的陶令不休官，无钱的子张学干禄。

相当深刻地揭露了当时统治阶级的是非颠倒、贪污成风。他的《青衫泪》杂剧通过裴兴奴的自白对妓女的非人生活，做了血淋淋的控诉：

经板似粉头排日唤，落叶似官身吊名差。俺这老母呵，更怎当他银堆里舍命，钱眼里安身，挂席般出落着孩儿卖。几时将缠头红锦，换一对插鬓荆钗。

从这些地方看，马致远对现实有一定的认识，对封建统治阶级最腐朽的一面表现出一定的清醒态度，对受压迫最深的下层人民怀有一定的同情。马致远思想里这些积极因素，使他的部分作品如《汉宫秋》，或作品里的部分描绘，如《荐福碑》《青衫泪》《陈抟高卧》等戏里的片段，在艺术上取得较高的成就，而有别于那些一味宣扬愚忠愚孝或因果报应的作品，如郑廷玉的《楚昭公》、刘唐卿的《降桑椹》等。

然而马致远对现实的不满，主要是从一个封建文人的个人利益受到损害出发的，这在《荐福碑》里表现最明显。《荐福碑》里的书生张镐那样厌恶他在村塾里的教学生活，只因为这样教下去不知几时是他的发达时节；他在龙神庙里那样怨气冲天，只因为龙神的“杯珓儿”暗示他不能做官。这种封建文人的思想意识在他的《青衫泪》《汉宫秋》里同样流露出来。作者在《汉宫秋》里写汉元帝和王昭君的爱情，实际是以封建社会的“名士风流”为蓝本的。他在《青衫泪》里同情妓女裴兴奴，归根到底为了她能够赏识一个“诗措大、酒游花、却原来也会治国平天下”的白侍郎。这样，他剧中主人公在功名得意时就对着皇帝、宰相、满朝大臣，扬扬得意，像张镐、裴兴奴在《荐福碑》《青衫泪》终场时所表现的那样；在看到宦途险恶、世路艰难时，就逃向山林，逃向神仙，像陈抟、吕岩在《陈抟高卧》《黄粱梦》二剧中所表现的那样。马致远剧作中这些思想倾向，包括他对现实不满的思想在内，跟他在散曲里所表现的基本一致。他继承了我国历史上一些对现实有所不满的文人名士的传统，用杂剧这一新的艺术形式表现出来，使他成为元代以来在文人里影响最大的杂剧作家之一。

马致远剧作里的宿命论观点同样十分显著，这不仅表现在《荐福碑》《陈抟高卧》等杂剧，就是《汉宫秋》里的王昭君也自说：“母亲生妾时梦月入怀，复堕于地。”暗示她的不幸遭遇是命定的。《青衫泪》里的裴兴奴在受尽鸨母的折磨时还只恨自己的“年月日时”不好，命该如此，不敢埋怨她的母亲。在这种思想指导之下，马致远剧中的正面人物常常是软弱的，动摇的，在强大的压力面前表示无可奈何的态度而带有浓厚的感伤主义色彩。这不仅表现在汉元帝、张镐等封建统治阶级人物身上，就是封建社会受压迫最深的妓女裴兴奴也未能例外。裴兴奴为了要嫁白侍郎，曾拒绝了阔商刘一郎的求爱，但当她听到了那伪造的白侍郎的死信时，立即改变态度，主动把刘一郎留下来。我们拿裴兴奴跟关汉卿、石君宝等剧中所描写的妓女比较，她就只能给我们一个可怜虫的印象。

马致远杂剧在人物描写上有一个显著特点，就是通过剧中人物直接倾吐他自己的心声，这跟本色派的作家要按照不同人物的本来面貌来描写有明显的区别。我们看他的《荐福碑》，就好像读他的〔黄钟·女冠子〕一类的散曲，倾诉他“都不迭半纸来大功名一旦休”的痛心；看他的《青衫泪》，就好像读他的〔大石调·青杏子〕散曲，歌颂他“天赋两风流”的姻缘；看他的《陈抟高卧》等神仙道化剧，更像读他的〔双调·夜行船〕〔般涉调·哨遍〕等散曲，欣赏他“红尘不向门前惹，绿树偏宜屋角遮，青山正补墙头缺”的世外桃源。普希金在指出莎士比亚和拜伦之间的不同时说：“莎士比亚是个什么样的人，总共只能理解一种性格的悲剧家拜伦在他的面前是多么渺小，拜伦把自己性格的某些特点分配给他的主角。”[①] 这些区别在关汉卿和马致远之间是同样存在的。

马致远的写剧更多的像写诗，为了情景交融，他比较注意

① 据《俄国文学史》论述普希金部分转引。

环境气氛对剧情的衬托，而不能够掌握人物性格的矛盾，合情合理地展开情节。像汉元帝在灞桥对着满目秋光送他心爱的妃子去国，归来后在嘹唳雁声中引起一连串的回忆和怀思。又像吕洞宾在岳阳楼上面对着“龙争虎斗旧江山”，抒发他的古今兴亡之感；作为抒情诗来读，蛮不差，然而很难想象它在广场中演出会受到群众的欢迎。像《汉宫秋》第四折就是汉元帝的独角戏，他一个人断断续续唱了十几支曲子，陪衬他的就只有一个哑巴似的小黄门，以及在梦里偶然出现的王昭君。

关目安排上的公式化倾向已较为明显地在马致远的戏曲里出现，特别是他的几个神仙道化剧。开始时总是某一个神仙或教主，发现某处某人有神仙之分，于是下凡去度他，他先是“执迷不悟”，经过酒、色、财、气的种种考验，终于看破红尘，决心出家，于是八仙突然相继出现，接引他同登仙国。

马致远杂剧的最大成就在语言，尤其在曲词方面，他更多吸收前代诗人词人的成就到戏曲里，形成自己独特的风格，这同王实甫、白朴的杂剧有其一致之处，像《汉宫秋》里那些向来为人所传诵的曲子不必说了，就是他的神仙道化剧里有些曲子在抒情写景方面都有独到的地方。试看陈抟辞朝时唱的〔离亭宴带歇指煞〕：

把投林高鸟西风里放，也强如衔茶野兔深宫里养。你待要加官赐赏，教俺头顶紫金冠，手执碧玉简，身着白鹤氅。昔年旧草庵，今日新方丈。贫道呵，除（下疑落了“睡”字）外别无伎俩。本不是贪名利世间人，只一个乐琴书林下客，绝宠辱山中相。推开名利关，摘脱英雄网，高打起南山吊窗。常则是烟雨外种莲花，云台上看仙掌。

在作家抒写他对功名富贵的厌弃和对自由生活的向往时，他把山林隐逸的环境美化了。作品中所表现的这种思想感情并没有超出魏晋以来隐逸诗人、山水诗人的范畴，然而我们在读过文学史上许多田园诗、山水诗之后，最初接触到这些曲子时多少还有一些新鲜的感觉，因为它是通过这种新的文艺形式表现的。语言在工整之中兼有流走之势，他既掌握了向来文人惯用的词汇、声律和对偶，同时还采取了一些民间艺人运用语言的手法。

然而马致远的戏曲有不少地方是为了炫耀渊博或掩饰内容的空虚而滥用文辞的。如《汉宫秋》里呼韩邪单于上场时一段广引历史故事的定场白就有点可厌，而且成为明人传奇里许多以骈体写宾白的作品的滥觞。他在《汉宫秋》里的〔梅花酒〕〔收江南〕二曲，运用连环句式和增格句，浓烈地渲染了汉元帝送别王昭君时的凄凉情绪，成为向来传诵的名作：

呀！俺向着这迥野悲凉。草已添黄，兔早近霜。犬褪得毛苍，人搠起缨枪，马负着行装，车运着糇粮，打猎起围场。他、他、他，伤心辞汉主，我、我、我，携手上河梁。他部从入穷荒，我銮舆返咸阳。返咸阳，过宫墙；过宫墙，绕回廊；绕回廊，近椒房；近椒房，月昏黄；月昏黄，夜生凉；夜生凉，泣寒螀；泣寒螀，绿纱窗；绿纱窗，不思量！

呀！不思量除是铁心肠，铁心肠也愁泪滴千行。美人图今夜挂昭阳，我那里供养，便是我高烧银烛照红妆。

同调的两支曲子曾在《荐福碑》第四折里出现，也用连环句式和增格句：

呀，张仲泽你忒下得，说小生当日，正波迸流移，无处可也依栖。他倚恃着黄金浮世在，我险些儿白发故人稀。当日在，村庄里。“村庄里，教学的。教学的，谢天地。谢天地，遂风雷。遂风雷，脱白衣。脱白衣，上丹墀。上丹墀，帝王知。帝王知，我身亏。我身亏，那一日。那一日，便心里。便心里，得便宜。”

呀！你今日讨便宜翻做了落便宜，你待将沤麻坑索换我凤凰池。你道你父亲年老更残疾，他也不是个好的，常言道老而不死是为贼。

这二曲的格调跟前二曲那样类似，然而读了索然寡味。我想很可能他是先写《汉宫秋》，取得了艺术的效果，于是在《荐福碑》里也如法炮制。两相比较，我们可以得出结论：为了更好地表达内容，我们并不排斥文采；而一切不顾作品内容的生搬硬套则必须摈弃。

从上面的分析来看，马致远的戏曲是有他的特点的。这些特点较多地表现了文人名士的习气，使他成为元人杂剧里另一派文采作家的代表人物。他的戏曲在明清以来文人中拥有广大的读者，但在舞台方面的影响就远不及关汉卿、王实甫等作家。

跟马致远同时的作家风格相近的还有费唐臣。他的《贬黄州》杂剧写苏轼谪官黄州时唱的〔点绛唇〕曲：

万顷潇湘，九天星象，长江浪，吸入诗肠，都变作豪气三千丈。

是善于抒发这位以风格豪放著称的诗人的胸怀的。然而在元代前期马致远的同调究竟是少数。到后期情况就不同了，当时著名的杂剧作家郑光祖、乔吉，他们的作品都带有比较浓厚的文人气息和感伤情调。这跟当时元朝统治的渐趋稳定和杂剧创作中心的南移杭州有关，同时决定于作家的生活道路和文艺爱好。郑光祖、乔吉原来都是北方人，到了杭州，羡慕江南的人才之多、景物之盛，定居下来。在长期同许多南方文人相处之后，生活上既脱离了广大人民的斗争，文艺上也沾染了南方词家柔媚的习气，他们的创作就不可能继承关汉卿、高文秀等慷慨悲歌的传统发展。

比之马致远，郑光祖、乔吉更多地把文人名士的风流故事搬上舞台，他们的成就也以这方面为较突出，对明清两代文人戏曲创作的影响也较大，如郑光祖的《王粲登楼》《倩女离魂》，乔吉的《两世姻缘》《扬州梦》等杂剧。

马致远的曲子更多地接受了陶渊明、李白等诗人以及豪放派词家的成就，这在他的神仙道化剧里表现得更明显。就是《汉宫秋》《荐福碑》等杂剧，也隐隐在歌曲里传达出悲愤苍凉的心声。郑光祖、乔吉却更多地接受了李长吉、李商隐等诗人以及婉约派词家的影响，带有比较浓厚感伤情调。在音律和修辞上，郑光祖、乔吉比之马致远更注意了。周德清在《中原音韵》里引郑光祖《王粲登楼》里的〔迎仙客〕曲作为写曲子的典范说："美哉！德辉之才，名不虚传（德辉是郑光祖的字）！"主要是就他的注意音律说的。他们都喜欢用典、对偶、组织华美的辞藻，而不善于从现实生活中提炼各种人物口头的语言，像关汉卿、石君宝、郑廷玉这些作家那样。他们用这种手法写他们所熟悉的题材时，往往能发挥他们的长技，把他们的曲子写成一首首动人的抒情诗，像他们杂剧里向来为人传诵的片段那样。问题在他们每每喜欢在这些地方卖弄才情，炫耀技巧。乔吉在遇到部分可以随意增加句子的曲调如〔混江龙〕〔后庭花〕等，就尽量铺排。郑光祖喜欢在曲子里嵌从一到十，又从十到一的数字，如《倩女离魂》里的〔十二月〕〔尧民歌〕二曲。他的《王粲登楼》里有首《捣练歌》，连写了几十句叠字句，如"星眼眼长长出泪，多多多滴捣衣中"等，就完全是文字游戏。

本色派曲家一些动人的曲子或宾白是从人物性格和情节发展中自然流出的，对上文说，它是一连串戏情发展的结果；对下文说，它又是一连串新的戏情的起点。如关汉卿在《诈妮子调风月》里写婢女燕燕在跟小千户发生爱情之后，邻家女伴在寒食邀她去游戏，她不等终场就匆匆回来时唱的一段曲子：

年例寒食，邻姬每斗来邀会，去年时没人将我拘管收拾，打秋千，闲斗草，直到个昏天黑地。今年个不敢来迟，有一个未拿着性儿女婿。

这是燕燕当时的行动和心情的最好表白，同时见出燕燕被小千户骗上手之后仍始终对他怀疑，因而为下文他们之间一连串新的矛盾透露了消息。这样的戏曲语言就必然是生动的，前后血脉贯串的。郑光祖、乔吉等文采派作家的曲子往往是见一物，赋一词。如《扬州梦》写杜牧到了扬州，看到了扬州的好景致，于是唱了两支歌咏扬州的曲子，他见了牛僧孺，牛僧孺请他喝酒，他又唱了一支赞美酒的曲子；后来牛僧孺拿出笔砚请他题诗，他又唱了一支赞美文房四宝的曲子。这些曲子既不是人物性格与情节发展的必然结果，就不大能够起活络前后戏情的作用，因而给我们一种死板、呆滞的感觉。

在关目安排上由于这些作家不能从现实生活直接进行艺术概括，就只能模拟前人或互相蹈袭。郑光祖《㑳梅香》的模拟《西厢记》不必说了；他的《王粲登楼》也未能摆脱《冻苏秦》《举案齐眉》等写书生先穷后贵的窠臼。乔吉的《金钱记》从故事内容看，无疑是《韩寿偷香》的翻版。他的《两世姻缘》的第四场更全仿马致远的《青衫泪》。

他们爱写的人物是文士名流，像王粲、韦皋、杜牧、白敏中等。出现在他们笔下的小姐、妓女或侍婢，也都爱好文谈应对，带有浓厚的文人气息。暂时处在他们对立面的人物如蔡邕、牛僧孺、张延赏、韩夫人等也都不是坏人，因此他们之间虽然一度也翻过脸，经过彼此说明，或第三者从中解释，原来都是误会，于是后堂摆酒欢庆，全戏跟着终场。这些戏里没有一个反面人物，有些有钱有势的丈人丈母在他们的穷女婿上门时，开始也不许他成亲，甚至把他轰出门去；但同时总要暗中吩咐另一个人给他鞍马金银，送他上京应考。当女婿取得了功名，不肯认他的丈人丈母时，这个人就出来排解，说老人家当时这样做正是为了刺激他上进。于是那些夫人、员外又成了这些穷秀才的大恩人。这跟关汉卿一派本色作家把人物放在阶级社会的典型环境中去刻画，通过尖锐的矛盾斗争，突出人物的性格，完全是两种做法，效果也截然不同。后者往往通过戏剧冲突揭示了阶级社会不可调和的矛盾，前者却掩盖了它。

从上面语言应用、关目安排、人物描写一连串的手法看，体现了以郑光祖、乔吉为代表的文采派的共同风格。钟嗣成在《录鬼簿》里批评郑光祖说："惜乎！所作贪于俳谐，未免多于斧凿。""贪于俳谐"，不仅指在曲词宾白上卖弄小聪明，更重要的是创造笑料，掩盖了血淋淋的现实。"多于斧凿”，主要是说戏剧情节和人物不符合事物本来的面貌，是人工刻画出来的。明末李贽说《西厢记》《拜月记》是“化工”，是“宇宙之内本自有如此可喜之人”，而《琵琶记》是“画工”，“似真非真，所以入人之心者不深”。他对《琵琶记》的批评实际上也可以移用于郑光祖、乔吉等的作品。

郑光祖曾以儒补杭州路吏，乔吉是江湖清客之流，他们在当时统治阶级里一般没有什么地位，因此在作品里也流露怀才不遇的牢骚和对世态炎凉的不满。从他们的部分爱情剧如《倩女离魂》《金钱记》等看，他们对青年男女追求自愿结合的爱情有同情。然而他们又都是寄生在封建统治阶级的人物，因此同时在作品里流露了追求功名的庸俗思想，偶然也通过剧中主角宣扬封建道德的门面话，虽然还不像郑廷玉、秦简夫那样的头巾气。

和郑、乔二家同时的宫大用，也表现较多的文人习气，他的《范张鸡黍》杂剧有点像马致远的《荐福碑》，《七里滩》杂剧有点像马致远的《陈抟高卧》，风格也与郑、乔二家有点不同，要显得豪迈一点。

根据上面的分析，元人杂剧前期作家绝大多数是本色的。但在本色之中，又可以分为以关汉卿为代表的一派和以郑廷玉为代表的一派。后来由于文人染指戏曲的渐多，开始出现了一些在本色基础上设色加工的作家，王实甫在这方面取得最大的成就。到了马致远、郑光祖、乔吉等作家就表现了更多的文人习气，脱离现实的倾向和片面追求辞藻、音律的作风也愈来愈严重。

元人杂剧里不同流派的形成，归根到底决定于当时不同观众的爱好，同时和剧作家的生活道路和文艺修养有关。自称为“响珰珰一粒铜豌豆”的关汉卿把那些受压迫最深的妇女写得那么泼辣、生动，如果不熟悉她们的生活，不同情她们的遭遇，同时掌握了表现她们的各种艺术手法，这有可能吗？郑廷玉、武汉臣、秦简夫等就比较熟悉地主阶级的生活。康进之、高文秀爱写草泽英雄，郑光祖、乔吉却爱写风流名士。从这些不同作家的杂剧里明显看出他们的阶级烙印；而作品风格的不同，更直接表现了他们的艺术修养。

从一些残余下来的文献看，当时不同风格的戏曲作家已经有了不同的集体组织。关汉卿称他自己的戏曲活动为“我家生活”，又说：“子弟所扮是我一家风月。”就宋元时期的戏曲小说看，家就表示流派。当时在大都影响最大的玉京书会就集中了关汉卿、白朴、赵子祥等好些作家，而马致远和李时中、花李郎等却参加了另一个元贞书会。从他们创作倾向的明显不同看，这两个同时在大都出现的书会之间不可能没有矛盾斗争。

不同戏曲流派的斗争，首先表现在题材的选择上。关汉卿一派作家写了许多受压迫人民直接起来斗争的戏，马致远写了四种神仙道士戏，乔吉写了三种文士风流戏，这些不同题材反映了不同阶级阶层对戏曲的要求。其次表现在同类题材的不同处理上。如同写恶霸抢占妇女的戏，关汉卿的《鲁斋郎》和武汉臣的《生金阁》就各有不同写法：前者写恶霸鲁斋郎见到了人家有长得好的妻子就抢，后者却写那书生自己向恶霸讨好，惹火烧身。又如写有权有势的丈人看不起穷女婿，《拜月亭》里的王尚书不管他女婿病得要死，拉起女儿就走，充分勾画出他的凶恶嘴脸。《王粲登楼》里的蔡丞相一面把女婿轰出去，一面又暗叫人看顾他，就比较符合那些员外老爷的口味。不同流派在戏曲创作上的斗争主要表现在这两方面。至于语言的本色或华丽，泼辣或和平，也投合不同观众的胃口，但比之题材的选择和处理，还是次要的。

文学史上的不同流派在互相斗争时往往即互相吸收，诗文如此，戏曲也未能例外。关汉卿的曲子是本色的，然如《单刀会》里写关羽的归舟："缆解开岸边龙，船分开波中浪，棹搅碎江心月。"又如《诈妮子调风月》里写小千户的书房："翠

�月朗龙蛇乱，碧轩夜冷灯香信，绿窗雨细琴书润。”未尝不华美。王实甫、马致远偏于文采，然如《西厢记》惠明送书时唱的大段曲词和《任风子》里“添酒力晚风凉，助杀气秋云暮”等曲，未尝不本色。关汉卿的杂剧思想倾向比较好，但也出现了像《玉镜台》那样赞扬老夫小妻的庸俗作品。他的另一个写妓女的杂剧《谢天香》，从人物、关目到语言，都带有更多的文人气息。元代文采派作家的总成就虽不及以关汉卿为代表的本色派，仍有个别杰出的作品，如王实甫的《西厢记》、白朴的《墙头马上》、马致远的《汉宫秋》、郑光祖的《倩女离魂》。因此我们在研究元人杂剧时虽更重视关汉卿、石君宝、高文秀、康进之等作家的成就，仍不能因此抹杀其他流派的长处。

从上面对于元人杂剧里本色派和文采派的论述，我想提出下面几点意见，作为本文的小结。

一、分析戏曲史上不同流派，应从作品的思想倾向、人物描写、语言运用等各方面去考察，过去有些戏曲论著往往只就曲词的本色或华美、豪放或清丽来分析，现在有些文学史又只从题材内容来分，都不能更好说明问题。

二、戏曲史上不同流派的形成，反映了不同阶级阶层对现实的态度和他们的美学观点，因此，总是跟当时的阶级形势、文艺思潮密切相关。从文艺本身看，又总是跟它以前的文学流派有继承关系。因此，我们不能把它们孤立起来看。

三、我国古典戏曲基本上可分为本色、文采二派。现实主义是前者的特征，其中部分优秀作品又往往带有积极浪漫主义的色彩。后者中的王实甫、白朴基本上仍是现实主义作家，从马致远到郑光祖、乔吉，就愈来愈表现脱离现实的倾向，多数作品又带有浓厚的感伤情调和消极浪漫主义色彩。

四、元人杂剧里不同流派的作家作品在戏曲史上的影响是深远的。关汉卿、高文秀等一派本色作家，由于深刻揭露了封建社会的黑暗，表现了受压迫人民的反抗斗争，长期以来在民间戏曲里有深远的影响。明清以来民间流行的《赛琵琶》《白蛇传》以及三国、水浒、杨家将等故事戏，基本上沿着这一派作家的创作道路发展。他们写下层人民如何对敌斗争取得胜利，写农民起义军领袖之间如何面对事实，分清是非，从而团结对敌，对今天的读者也还有一定的历史教育意义。至于郑廷玉、武汉臣一派，就在《琵琶记》《白兔记》《杀狗记》等南戏以及明末清初李玉、朱素臣等的作品如《人兽关》《翡翠园》《双熊梦》等戏曲里得到继承。这些作品中虽也有反映现实的，整体说来是宣扬封建统治阶级的道德教条和迷信思想的。王实甫、白朴等文采作家的进步思想倾向在汤显祖的《牡丹亭》、孟称舜的《娇红记》等作品里得到继承。而马致远、郑光祖、乔吉等作家却在更多的以名士风流自命的作家里发现了他们的同调。明清传奇作家里还有混合郑廷玉、武汉臣和郑光祖二家为一手的，沈璟的《红蕖记》、蒋士铨的《香祖楼》《空谷香》等传奇就明显表现了这种倾向。他们既宣扬了地主阶级的封建道德，又投合那些封建文人的生活趣味。因此向来文人们都把他们捧得很高，今天看来就很少可取了。

（原载《学术研究》1964年第3期）

杨柳青京剧版画《西厢记》长亭饯别

高歌卑贱者的胜利

——《西厢记·拷红》赏析

今年（1985年）是红娘的流行年，不仅许多为大龄男女青年穿针引线的组织以红娘命名，有些为企事业单位联络奔走的同志也往往以红娘自居。《西厢记》里的红娘究竟是怎样一个人？为什么在群众中影响如此深远？值得我们深思。

红娘的影子早在西汉司马相如卓文君的故事里就已出现，她是卓文君的侍婢，是为卓文君私通司马相如穿针引线的。到中唐元稹的《莺莺传》才出现她的名字，但记载很简略。到元代王实甫的《西厢记》才综合宋、金以来民间说唱和演出崔张故事的成就，把她塑造成活灵活现的舞台人物形象。

红娘在《西厢记》里起的作用，一是在崔莺莺和张生之间传书寄简，帮助这两个有情人自愿结合；二是挺身而出，回击老夫人和郑恒对崔张美满婚姻的破坏。前者从“赖婚”

到“佳期”共七场戏；后者集中表现在“拷红”“争婚”两场戏。“拷红”一场写得尤其成功。因此就原著略加说明，与读者共同欣赏。

“拷红”这场戏分三大段演进。第一大段演崔张私自结合被老夫人识破，要找红娘来拷问时，红娘、莺莺之间有如下一段对白和曲子：

红白：姐姐，事发了也。老夫人唤我哩，却怎了？

莺白：好姐姐，遮盖咱！

红白：娘呵，你做的稳秀（隐秘）者——我道你做下来也。

莺念诗：月圆便有阴云蔽，花发须教急雨催。

红唱：只著你夜去明来，到有个天长地久；不争你握雨携云，常使我提心在口。只合带月披星，谁著你停眠整宿？老夫人心数多，性情㑳（利害），使不著我巧语花言，将没做有。

这戏一开场就表现了莺莺、红娘对事件的不同态度：一个要遮盖，一个要直说。同时表现她们不同的性格特征：一个是快人快口，一个是顾虑重重。这就以鲜明的人物形象，步步引人入胜。

再看下面一段曲白：

莺白：红娘，你到那里，小心回话者。

红白：我到夫人处，必问："这小贱人！〔唱〕我著你但去处行监坐守，谁着你迤逗的胡行乱走"？若问著此一节呵如何诉休？你便索（须要）与他个知情的犯由。

这段曲白以红娘估计老夫人怎样拷问，自己怎样回答，为后面她对老夫人的大段辩白做引子。在演出时，红娘还模仿老夫人的嘴脸和声口，引起观众的哄堂大笑，收到很好的舞台效果。

再看下面红娘的一段曲白：

红唱：你绣帏里效绸缪，倒凤颠鸾百事有。我在窗儿外几曾轻咳嗽，立苍苔将绣鞋儿冰透。今日个嫩皮肤倒将粗棍抽。姐姐呵，俺这通殷勤的著甚来由！〔白〕姐姐在这里等着，我过去。说过呵，休欢喜，说不过，休烦恼。

这最后两句话也见关汉卿的《救风尘》杂剧，估计是民间成语，它概括了人民在面临重大斗争时的两种思想准备："说过啊，休欢喜”，是说胜利后还可能有反复，不能让胜利冲昏头脑；“说不过，休烦恼”，是说即使失败了，还要继续斗争，不能因暂时的挫折而丧失信心。这就把红娘在这场斗争前的思想准备表现得更充分。

值得注意的，还有红娘唱的那支曲子，写莺莺、红娘在同一事件中两种截然不同的处境，反映了封建社会带有普遍意义的主奴关系。正像俗话说的：“老和尚偷馒头，小和尚打屁股。”红娘实际成了莺莺的替罪羊。这真是带泪的喜剧。有的读者，以为红娘在这里是吃莺莺的醋，那是多么庸俗的想法啊。

现在来看看第二大段，它写红娘跟老夫人的正面冲突。红娘采取的是摆事实、讲道理，先让一步、后发制人的策略。在老夫人气势汹汹，大兴问罪之师时，她以认罪的口气唱了下面这支曲子：

> 夜坐时停了针绣，共姐姐闲穷究，说张生哥哥病久，咱两个背著夫人向书房问候。

老夫人信以为真，追问她张生当时说些什么？红娘接下唱：

他说来，道："老夫人事已休，将恩变为仇，著小生半途喜变做忧。"他道："红娘你且先行，教小姐权时落后。"

红娘模仿张生的声口，指责老夫人恩将仇报，这是她对老夫人摆的第一个事实。从这个事实看，莺张的私自会合，都由老夫人赖婚引起，跟红娘无关。老夫人跟着又问：

他（指莺莺）是个女孩儿家，著他落后怎么！

红娘又做了如下的回答：

我则道神针法灸，谁承望燕侣莺俦。他两个经今月馀则是一处宿，何须你一一问缘由？

他每不识忧，不识愁，一双心意两相投。夫人得好休，便好休，这其间何必苦追求？常言道"女大不中留。"

红娘的意思是说：我陪小姐去看张生的病，是想叫他针灸服药，想不到他们私自成亲已一个多月。这是摆的第二个事实。

根据这个事实，莺张的结合，出于双方自愿，即“一双心意两相投”，不是由于红娘的拉拢。

以上三支曲子写红娘巧妙地把老夫人责问她的话头一步步引到莺莺、张生方面来，摆脱了自己的被动处境，又进一步奚落了老夫人。莺莺张生私自结合已一个多月，她还被蒙在鼓里，使这个自以为治家严谨、大权在握的人物，反而处于十分尴尬的境地，斗争形势就向有利于红娘的方向转化。红娘先让一步，后发制人，语调痛快淋漓，又带三分幽默，是《西厢记》中写得十分精彩的片段。当然，红娘是不会把自己怎样替莺莺张生传书送简也摆出来的，否则就太愚蠢了。

上面是摆事实，再看红娘是怎样跟老夫人说道理的：

夫人白：这端事，都是你个贱人！

红白：非是张生、小姐、红娘之罪，乃夫人之过也。

夫人白：这贱人倒指下我来，怎么是我之过？

红白：信者，人之根本，“人而无信，不知其可也。大车无輗，小车无軏，其何以行之哉？”（这几句引自《论语》。）当日军围普救，夫人所许退军者，以女妻之。张生非慕小姐颜色，岂肯建区区退军之策？兵退身安，夫人悔却前言，岂得不为失信乎？既然不肯成其事，只合酬之以金帛，令张生舍此而去。却不当留请张生于书院，使怨女旷夫，各相早晚窥视，所以夫人有此一端。目下老夫人若不息其事，一来辱没相国家谱，二来张生日后名重天下，施恩于人，忍令反受其辱哉？使至官司，夫人亦得治家不严之罪。官司若推其详，亦知老夫人背义忘恩，岂得为贤哉？红娘不敢自尊，乞望夫人台鉴：莫若恕其小过，成就大事，㨘（迁就）之以去其污，岂不为长便乎？〔唱〕……不争和张解元参辰卯酉（意指作对头），便是与崔相国出乖弄丑。到底干连著自己骨肉，夫人索（须）穷究。

红娘一面指出夫人的失信失策，一面又向她指明利害，尤其是指出事情张扬之后将败坏相国家谱，击中她的要害，使她不得不认输。有人认为红娘的这段长白太文了，未免和她的身份不合。但宋元时大家闺秀大都有伴读丫鬟，从这方面看，还是可以理解的。

后面大段曲白是高潮过后的两个余波：先是老夫人叫红娘去叫莺莺来，准备把她许配张生，莺莺羞愧得抬不起头来，说“羞人答答的怎么见母亲”，红娘嘲笑她“娘跟前有甚么羞”，催她去见夫人。后来老夫人叫红娘去叫张生来，张生也说“小生惶恐，如何去见老夫人”，红娘嘲笑他“银样镴枪头”。通过红娘对莺张的善意嘲弄，引起观众会心的微笑，也把红娘的舞台形象树立得更高。把一个婢女的形象塑造得如此光辉，不仅是前此文学史中所未见，也为董解元《西厢记》所不及。在莺莺见到老夫人时，老夫人唉声叹气地说：“莺莺，我怎生抬举你来，今日做这等的勾当，只是我的孽障！……罢罢罢！谁似俺养女的不长进！红娘，书房里唤将那禽兽来！”老夫人一面骂女儿，一面怨自己，一面骂张生禽兽，一面还得把女儿嫁给他，充分表现老夫人的矛盾心理，声口毕肖，是高度的现实主义描绘。

最后，以红娘的高唱凯歌结束：“来时节画堂箫鼓鸣春昼，列着一对儿鸾交凤友，那期间才受你说媒红，方吃你谢亲酒。”直贯《西厢记》全本的最后大团圆，也说明关汉卿续第五本之说的不可信。而老夫人叫张生第二天就去上朝应考，“得官啊，来见我；驳落啊，休来见我”，跟开头红娘说的“说过呵，休欢喜；说不过，休烦恼”，遥遥相应。看来虽是余波，却关联着全场、全局。

喜剧以卑贱者的胜利，赢得观众的喜爱；同时以高贵者的失败，博得观众的笑声。“拷红”正是这样的喜剧典型。从上面三大段的剧情看，红娘的胜利概括了：

一、事先做了充分的思想准备，表现她的深沉、老练；

二、后发制人，攻其要害，表现她的机智、勇敢；

三、笑得最后，笑得最美，表现她的胜利信心和乐观态度。

这样的戏曲场子，千百年来，历演不衰，是由于它的艺术魅力征服了观众，特别是下层的人民大众。到了今天，它在元代演出的舞台形象，虽已难以想象，依然可以作为古典文学里一个精彩片段来欣赏。

（原载1985年《文史知识》第3期）

《西厢记》叙说

一、元微之的《莺莺传》

大约在唐德宗贞元末年（约在公元802—804年），当时跟白居易齐名的诗人元微之（公元778—831年）写了一篇《莺莺传》，叙述张生和崔莺莺的恋爱故事①。因为传里录了一首元微之的《会真诗》，后人多称它作《会真记》。记里说莺莺的母亲郑氏和张生的母亲是从姊妹；宋人王性之即根据这一点和元微之其他方面有关的诗文，考订张生即是元微之，莺莺是永宁尉崔鹏的女儿，是元微之的姨表妹②。本来在北宋熙宁、元丰（公元1068—1085年）以前，有的学者以为《莺莺传》里的

---

① 据陈寅恪先生《元白诗笺证稿》第一章“长恨歌”，说《莺莺传》之作，“距微之婚期（贞元十八年）必不甚近，贞元二十年乃最可能”。

② 见赵令畤《侯鲭录》五《辨传奇莺莺事》篇。

张生即是贞元、元和间的诗人张籍[①]；到赵令畤《侯鲭录》介绍了王性之这段考证后，人们才一致确认张生即是元微之。至于莺莺究竟是怎样一个人，那是直到近人陈寅恪先生的《读莺莺传》才有比较翔实的说明[②]。陈先生根据唐代士大夫阶层的社会习俗和元微之的《梦游春诗》、白居易的《和元微之梦游春诗》，断言“莺莺所出，必非高门”。他说：“若莺莺果出高门甲族，则微之无事更婚韦氏，惟其非名家之女，舍之而别娶，乃可见谅于时人。”陈先生以研究历史的方法，给《莺莺传》做了正确的考据，澄清从北宋以来许多人对《莺莺传》的错误看法，对于我们今天研究唐人小说有很大的帮助。但也有些学者根据陈先生还没有十分确定的意见，即举《莺莺传》和《霍小玉传》作为唐代进士与娼妓文学的代表作品[③]，这是不能令人信服的。元微之集里有《酬翰林白学士代书一百韵诗》，中间四句是：“山岫当街翠，墙花拂面枝；莺声爱娇小，燕翼玩逶迤。”句下自注说：“予昔赋诗云：‘为见墙头拂面花。’时唯乐天知此。”又微之《嘉陵驿诗》第二

① 《侯鲭录》五同篇引王性之说：“尝读苏内翰（苏轼）赠张子野诗云：‘诗人老去莺莺在。’注言：‘所谓张生乃张籍也。’”

② 《读莺莺传》附刊在陈先生《元白诗笺证稿》内。

③ 近人刘开荣著《唐代小说研究》，其第四章《进士与娼妓文学》，即举《莺莺传》《霍小玉传》为代表作品。

首："墙外花枝压短墙，月明还照半张床；无人会得此时意，一夜独眠西畔廊。"题下自注说："篇末有怀。"[①]从这些作品里，我们可以体会到《莺莺传》里"待月西厢下，迎风户半开；隔墙花影动，疑是玉人来"这一节情事应该是真实的。这就说明元微之和他所托意的《莺莺传》里女主人公的恋爱是在月下偷期的秘密形式下进行，不像《霍小玉传》里的李十郎公然地到霍小玉家里求欢。微之这一段恋爱过程，除了他最知己的朋友如白居易、杨巨源、李绅等几个人知道外，还是要保守秘密的。这和当时一般进士对娼妓的态度，也显然有所不同[②]。

大约唐代士大夫阶层一方面由于沾染西北胡族的习俗，男女之间的接触比较宋元以下为自由，一方面由于封建社会门第的限制，聘财的需索，婚礼的繁缛，若非出身高门或少年科第得意，在婚姻上很难得到美满的结果[③]，因此，男女在结婚

---

① 《酬翰林白学士代书一百韵诗》见《元氏长庆集》卷十，《嘉陵驿诗》见《元氏长庆集》卷十七。

② 元、白集中对他们所熟悉的娼妓如秋娘、阿软、谢好、陈宠、商玲珑等，都公然见之吟咏，不像元微之对莺莺的态度，多少有点忌讳。

③ 《莺莺传》记张生的话："若因媒氏而娶，纳采问名，则三数月间，索我于枯鱼之肆矣。"《霍小玉传》记李生就婚卢氏说："卢亦甲族也，嫁女于他门，聘财必以百万为约，不满此数，义在不行。生家素贫，事须求丐，便托假故，远投亲知，涉历江淮，自秋及夏。"都可想见当时士大夫阶层结婚的不容易。

以前冲破封建礼教的樊篱，自由恋爱，有时是不可避免的。元微之、崔莺莺不必说了，就是白居易也有过这一类故事的[①]。可是在封建社会里，这种恋爱绝大多数是以悲剧终场的，这中间更其悲惨的往往是女性的一面。白居易《井底引银瓶》诗："为君一日恩，误妾百年身；寄言痴小人家女，慎勿将身轻许人！"即为当时这种习俗，对女性的一面提出了告诫。而陈寅恪先生《元白诗笺证稿》也引《莺莺传》为《井底引银瓶》诗最佳的例证[②]。

唐代习俗，朝廷大臣每每在新进士及第时选择女婿[③]。元微之《赠别杨员外巨源》诗："忆昔西河县下时，青衫憔悴宦名卑；揄扬陶令缘求酒，结托萧娘只在诗。"[④]蒲关在黄河西岸，这正是写他自己少年时在蒲州的生活情况的。就诗意看，莺莺爱上微之，可能是为他的才华所耸动，知道他是可以由文词科举进身的。如果微之在制科得中之前，和莺莺的婚姻名分

---

① 《白香山诗集》卷十《感情诗》："中庭晒服玩，忽见故乡履；昔赠我者谁，东邻婵娟子。因思赠时语：'特用结终始，永愿如履綦，双行复双止。'自我谪江都，漂荡三千里；为感长情人，提携同到此。"可见白居易年少时也有过这样的恋爱故事的。

② 见陈先生《元白诗笺证稿》第五章"新乐府"。

③ 《唐摭言》记进士曲江宴云："曲江之宴，行市罗列，阛阓为之半空。公卿家以是日拣选东床，车马填塞，莫可殚述。"

④ 见《元氏长庆集》卷二十一。

已定，那他们双方关系也许还有保障；不然，微之少年功名得意，正是长安大族择婿的对象，莺莺门户比较低微，自然不容易和他们竞争。《莺莺传》里说张生以文调及期将西去长安时，莺莺即心知将要永别，“投琴拥面，泣下流连”。果然后来微之试判得中，选授秘书省校书郎，即别娶韦氏，遗弃了莺莺①。微之、莺莺的故事，实际是和后来秦香莲、赵五娘的悲剧同一类型的。不过秦、赵因夫妇名分已定，还可到京师寻访丈夫，不像莺莺的“没身永恨，含叹何言”！

元微之的少年境况相当穷苦，我们就他早期所作的许多《新乐府》看，他无疑地跟白居易、李绅都是当时比较进步的诗人。他少年时和莺莺的恋爱，就当时社会习俗说，也应该是一种冲破封建礼教束缚的浪漫行为，虽然后来微之为了个人的功名利禄抛弃了莺莺；然而即在微之跟韦丛结婚之后，他对于自己少年时这一段珍贵的恋爱过程，还是念念不忘、见之吟咏的。陈寅恪先生《井底引银瓶诗笺证》说：“乐天诗中之句，即双文（双文即莺莺）书中之言。”元微之，作为一个和白乐天志同道合的诗人看，对于当时封建社会对待那些痴儿怨

① 贞元十八年，微之试判入四等，署秘书省校书。就在这一年，他和尚书仆射韦夏卿的最小女儿韦丛结婚。

女的残酷，是不能不体会到的。因此，他在《莺莺传》里一方面真实地写出张生和莺莺在恋爱成功时一种喜出望外的心情，一方面转录了莺莺给张生的信，替当时封建社会被遗弃的少女，倾吐出胸中的怨恨和不平，这是元微之在这篇小说里写得最成功的地方。

我们今天读《莺莺传》，最引起我们反感的是篇末的一段议论，认为张生终于抛弃了莺莺，是“善补过”。这些地方的确露骨地表现了封建社会士大夫对待妇女的观点，把妇女视为玩物，而又以无赖的口吻来辩解自己的负心。男女恋爱始乱终弃的现象在当时社会是不断发生的。《霍小玉传》写李十郎后来三娶都没有好结果，即是反映了当时人们对于这些情薄少年的不满。虽然《霍小玉传》的写成在《莺莺传》之后，但这种思想意识应是跟着“井底引银瓶，银瓶欲上丝绳绝”这一类事实的发生而早就存在的。正是由于这种社会舆论的谴责，使这位和白居易、李绅等同时出现于当时诗坛的元微之，在他替自己的罪恶行为答辩时，露出了自己的尾巴。

唐代传奇小说盛于贞元、元和之世，和当时的古文运动一时并兴。当时古文运动的中坚人物，往往也是写小说的能手[①]。他

① 此据陈寅恪先生著的《韩愈与唐代小说》。

们的作品在宋元以后文学史上的影响很大，而《莺莺传》的影响尤为突出。这除了它比较真实地暴露了封建社会的残酷，引起人们对莺莺的深切同情外；它在写作上的委婉、曲折，曲尽人情物态，也是一个原因。元微之《酬翰林白学士代书一百韵诗》有“翰墨题名尽，光阴听话移”两句，句下自注说：“乐天每与予游从，无不书名屋壁，又尝于新昌宅说《一枝花话》，自寅至巳，犹未毕词也。”[①]一枝花即是唐代传说中的名妓李亚仙[②]。元微之和白居易听说一枝花，自寅至巳，这一方面说明元、白这两位诗人对“说话”这种技艺的爱好，一方面说明“说话”这种技艺在唐代贞元、元和之间已经相当发达，因此说一个故事可以花上三四个时辰，而听的人仍不会厌倦。这种“说话”，我们根据敦煌发现的唐代各种变文、俗讲来看，更可以推定它是有说有唱，同时有音乐伴奏的。唐代贞元、元和之间的小说，大都前面是一篇叙事的散文，后面是一首七言的歌咏，这和当时的变文、俗讲的体裁有些相似；而叙事的委婉曲折，描摹人情物态的生动周详，又正是一般通俗说唱家的长技。《莺莺传》及其他优秀的唐代传奇在写作上所以比较

① 见《元氏长庆集》卷十。

② 宋罗烨《醉翁谈录》癸集《李亚仙不负郑元和》条：“李娃，长安娼女也。李亚仙，旧名一枝花。”

成功，正是当时文人接受了这种通俗说唱文学影响的结果。

由于《莺莺传》里主要部分暴露了封建社会的不合理，在写作上又吸收了当时通俗说唱文学的长处，因此，它在经过了若干年代之后，能够重新通过勾栏瓦肆艺人的说唱，回到广大人民中间去。但同时也由于它拖着一条引人厌恶的尾巴，当它流传到民间之后，终于改变了它的结局，使莺莺与张生以团圆终场。

二、从赵令畤到董解元

元微之的《莺莺传》经过唐末五代的兵乱，到宋初太平兴国二年（公元977年），被收到当时官修的《太平广记》里。大约最初只是极少数的馆阁文人如晏殊（公元991—1055年）、苏轼（公元1037—1101年）等看到[①]，而苏轼对《莺莺传》的传播关系更大。因为当时利用《莺莺传》的题材写作歌词或整套鼓子词的，都是他的门下士或和他关系极密的文人。这些文人以苏轼为首，在当时文坛上享有很高的声誉，他们平时又多风流倜傥，喜欢和娼妓来往唱和，这就很自然地通过他们的传

① 晏殊《浣溪沙》词："不如怜取眼前人。"苏轼《雨中花慢》词："吹笙北岭，待月西厢。"都引用《莺莺传》中诗句，可以证明他们是看过《莺莺传》的。

播，使这故事在勾栏瓦肆流传开来。

苏轼门下的文人以《莺莺传》为题材写成的歌曲，有秦观（公元1049—1100年）、毛滂（约在公元1055—1120年）的《调笑转踏》和赵令畤的《蝶恋花鼓子词》。《调笑转踏》是一种歌舞曲，它是以八句七言的引诗和一首〔调笑令〕来歌咏古代一个美人的故事的。联合这样八个故事成为一套。秦观咏莺莺的《调笑令》结句“红娘深夜行云送，困亸钗横娇凤”，只写到她的月下私期为止；毛滂咏莺莺的〔调笑令〕结句“薄情年少如飞絮，梦逐玉环飞去”，只写到她的答书寄环为止；内容都没有超越《莺莺传》的范围。这可能是由于体裁上的限制，因为凭借一首短诗、一首小令无法把故事的本末曲曲传出，给人一个完整的印象。赵令畤的《蝶恋花鼓子词》，似乎正是为了弥补这个缺憾而写成的。

《蝶恋花鼓子词》是由十二首〔商调·蝶恋花〕词和插在各首词前后的散文道白组织而成的。它除了在内容上、形式上都比秦观、毛滂的《调笑转踏》充实了、扩大了之外，还在结语里否定了元微之传末自以为“善补过”的一段话，而认为这样的结局是一种永远的缺憾。后来在说唱诸宫调和戏剧里，崔、张以团圆终场，可以说是这种看法的进一步发展。赵令畤在《蝶恋花鼓子词》的开端，说当时倡优女子对张生、莺莺的故事都能“调说大略”。可见这故事最初是作为说话人的题材在勾栏瓦肆传播的。南宋罗烨的《醉翁谈录》记载当时说话人的传奇小说，首列《莺莺传》，它是和《卓文君》《李亚仙》《崔护觅水》《王魁负心》等属于同一类型的儿女风情故事。说话人的听众主要是当时都市里的商人、手工业工人以及一部分的小吏、士兵，他们的爱好自然跟代表封建统治阶级的士大夫阶层不同。这样，《莺莺传》的结局便只有两种可能：一种是“文君驾车、相如题柱”的团圆结局，一种是“王魁负心、桂英报冤”的悲惨结果。然而儿女团圆的结局比之冤魂出现的场面是更为广大市民阶层所欢迎的，因此这个故事后来就演变为以第一种结局终场。

罗烨《醉翁谈录》所记的传奇小说《莺莺传》虽然是在南宋流行的，但在赵令畤写《蝶恋花鼓子词》时，既然已有许多倡优女子能够“调说大略”，这话本应该是从北宋末期一路演变下来的。现传《永乐大典戏文三种》里《张协状元》一种，从他开场时介绍的“占断东瓯盛事，诸宫调唱出来因”及“九山书会，近日翻腾，别是风味”等句子看，应是南宋中叶以后在浙江温州一带流行的戏文[①]。这戏文里有“赛红娘”和“添

① 南戏源于南宋时的温州杂剧，大约是在南宋建都杭州，温州成为对外贸易的重要港口，经济特别繁荣的时候。东瓯即温州，九山在温州永嘉城西。

字赛红娘”的曲牌，可以推想到张生、莺莺的故事在南宋时还曾被编作歌曲说唱的。可惜这些话本、唱本现在都没有流传下来。

现传说唱西厢故事的作品，在赵令畤《蝶恋花鼓子词》以后，最早也最完整的是董解元的《西厢掐弹词》。董解元据元末钟嗣成《录鬼簿》的记载是金章宗（公元1189—1208年）时候人。他是利用北宋末期，崇宁、大观（公元1102—1110年）以来在勾栏瓦肆里逐渐流行起来的说唱诸宫调的体裁来写西厢故事的[①]。诸宫调的体裁，主要是在一段散文的讲说之后，接唱一套自成首尾的某一宫调的曲子。这样一段讲说接上一套或两套歌曲，所唱各套曲子，宫调时有变换，词牌先后不同，不像《调笑转踏》或《蝶恋花鼓子词》从头到尾唱的是同一宫调的同一词牌，比较单调。董解元的《西厢掐弹词》就篇幅约略估计，比《蝶恋花鼓子词》要增加十五倍以上。它除了张生、莺莺之外，添出了许多有声有色的新人物，如法本、法聪、郑恒、孙飞虎等。一些原来在《莺莺传》里不很重要的人物，如崔夫人、红娘、杜确等也开始有了他们各自不同的面目与个

① 《东京梦华录》载“崇观（即崇宁、大观）以来在京瓦肆技艺”有“孔三传耍秀才诸宫调”。可见它是从崇宁、大观以来逐渐流行的。

性。故事方面，除了增加一些热闹的场面如张生闹道场、孙飞虎兵围普救，一些补充的情节如张君瑞害相思、崔莺莺问病等外，更重要的是把传文里始乱终弃的结局改成了崔、张团圆。由于广大人民是绝不同意封建社会士大夫阶层把自己的幸福建立在别人的痛苦之上的做法的，因此这个对于《莺莺传》带有根本性质的改变和张生这个用情专一的人物的创造，是赋予了崔、张故事以新的生命，使它具有了明显的反抗封建礼教的精神，因而更容易为广大人民所接受而成为后来许多文艺作品的重要题材。至于元微之《莺莺传》的末了，说莺莺在嫁人之后，张生曾以外兄的身份求见，莺莺坚决拒绝了他。在董解元《西厢搊弹词》里，这以外兄身份求见莺莺而终于遭了拒绝的张生，实际上是由另一个角色郑恒来代替了。

《西厢搊弹词》对于《莺莺传》，除了结局的改变之外，许多增加的情节主要还是根据传文推衍出来的。如白马将军解围的一节是根据本传“廉使杜确将天子命以统戎，节令于军，军由是戢”这一节演成的。张君瑞害相思一节是根据本传张生自说“数日来行忘止，食忘饱，恐不能旦暮”一段话来的。张生以弹琴挑莺莺，是根据本传莺莺答张生信里“君子有援琴之挑，鄙人无投梭之拒”二句演成的。崔夫人因红娘一段说词，把莺莺许配张生，是根据本传“生尝诘郑氏（崔夫人）之情，则曰：‘知不可奈何矣，因欲就成之。’”这一段话推想出来的。这些情节的增补，使这一对青年男女恋爱故事的发展更其入情入理，使读者的心情一路跟着故事的发展，关心着他们的美满结合，而痛恨那些要多方面夺取他们、破坏他们、阻挠他们的反面人物，如孙飞虎、崔夫人、郑恒等几个人。

《西厢搊弹词》是说唱诸宫调的体裁，这种体裁由北宋崇宁、大观年间流传到金章宗时候，已有百年左右的历史。一般民间说唱家是善于提炼民间口语和一般诗文里还有生命的词句来叙述故事、描摹人物的，董解元在这方面的成就尤其卓越。他有时连用十几支曲子叙述张生、莺莺的心情，便好像这一对封建时代的善良男女站在我们面前哀诉一样。有时描摹人物，淋漓酣畅，使人应接不暇；有时当紧要关头，又故意盘马弯弓，迟回不发。这些虽都是民间说唱家的惯技，但董解元确是运用得更纯熟的。

董解元在《西厢搊弹词》的末了说：“君瑞、莺莺美满团圆，还都上任；郑恒衙内自怀羞耻，投阶而死：方表才子施恩，足见佳人报德。怎见得有此事来？蓬莱刘汭题诗曰：‘蒲东佳遇古无多，镂板将令镜不磨；若使微之见新调，不教专美伯劳歌。’”从这段话里，我们可以知道“崔、张团圆，郑恒自杀”这一结局，董解元是有所本的，至少那刘汭题诗的刻本是如此。这刻本据刘汭诗意推测[1]，应是把西厢故事分绘成许多幅图画，附题些诗句在上面，或是一面图，一面诗，像后来有些戏曲小说的刻本一样。董解元《西厢搊弹词》说白部分引了许多题咏西厢的现成句子，可能就是这些刻本里的诗句。再从董解元《西厢搊弹词》说白里那些张生、莺莺唱和赠答的诗句看，除了录自《莺莺传》的以外，其他各章就体格意境看，显然不是同一个人的手笔。这些地方我们可以了解到董解元的《西厢搊弹词》，实际上是从北宋以来各种有关张生、莺莺故事的通俗文学特别是说唱文学方面一种总结性的作品。

三、《西厢记》杂剧和它的作者

董解元《西厢搊弹词》就许多以张生、莺莺故事为题材的说唱文学看，确是达到了顶峰；然而它在全部故事发展和人物处理上是不免有些缺陷的。如孙飞虎兵围普救，直到白马将军出兵解围一节，将近全部说唱六分之一的篇幅，使读者的大段

① 从“镂板将令镜不磨”看，这刻本一定有莺莺的画像。《伯劳歌》是指李绅《莺莺歌》，因为那首歌是以“伯劳飞迟燕飞疾”一句开端的。从“不教专美伯劳歌”看，这刻本一定还有歌咏莺莺的诗篇。

时间停留在刀来棒去的砍杀之中，这显然是没有使整个故事更精密地环绕着张生和莺莺的婚姻问题发展。又如有些地方为了迎合部分小市民的口味，不免“浓盐赤酱”[①]，形容过甚。有些地方为了“卖关子”、耸动听众，使人物的个性不能恰合身份。如莺莺第一次见了简帖发怒，竟至拿镜台掷红娘；又如老夫人听了郑恒的话要悔亲时，莺莺竟私到法聪房里找张生，和张生在法聪面前要双双上吊，这是十分不合一个相国小姐的身份的。张生这个人物虽然初步塑造了个坯模，但显然还有不少地方没有经过细心的琢磨。如兵围普救时张生自说有灭贼之策，却一再留难，必等老夫人亲自相求，才肯出计，近于临危要挟。又如张生跳墙赴约，被莺莺拒绝时，他竟要和红娘“权作妻夫”，近于无理取闹。更其不合理的是当老夫人二次拒婚时，张生竟说：“郑公贤相也，稍蒙见知；我与其子争一妇人，似涉非礼。”这又把他写得太容易妥协了[②]。《西厢掬弹词》里这些地方，都只是到了王实甫的《西厢记》杂剧，才得到更合理的处理，使张生莺莺的故事成为当时以及后来封建社

① 明何良俊《四友斋曲说》：“语涉闺阁，已是秾艳，须得以冷言剩句出之……若既着相，辞复秾艳，则复画家所谓‘浓盐赤酱’者乎？”

② 这一节采取徐朔方君《论西厢记》的意见，徐君原文载《光明日报》1955 年5月10日“文学遗产”专页。下文说到《西厢掬弹词》对老夫人这个人物没有处理得很好，主要也是他的意见。

会里许多青年男女衡量人物的“春秋”[1]。

王实甫《西厢记》杂剧，在当时所以会被人们看成像《春秋》一样的经典著作，首先是由于它对“父母之命，媒妁之言”的封建婚姻表示不满，正面提出了“愿普天下有情的都成了眷属”的主张，全部《西厢记》杂剧主要是环绕着这个主题发展的。剧中人物凡是为实现这一理想而废寝忘食、坚定不移的，如张生、莺莺，都给我们一个十分生动可爱的印象。他写张生、莺莺的月下私期，是那么的美满欢畅、有情有义；写他们的长亭分手，是那么的缠绵婉转、难解难分；使古今无数青年读者，为他们这种美满的恋爱生活所歆动、所陶醉，这就很自然地对于“父母之命，媒妁之言”的封建婚姻制度起了反抗的作用。

红娘这个人物的塑造，在王实甫《西厢记》杂剧里是特别成功的。她在反抗封建婚姻制度上是冲锋陷阵的猛将，使“拷红”一出至今还成为舞台上经常出现的好戏。她在帮助张生、莺莺时又处处表现了她的热情和机智。她在莺莺焚香拜月时，首先揭开了这位在封建家庭里长大的小姐的内心秘密；在莺莺看见了张生的简帖撒娇撒赖时，又替她撕下了这从封建家庭里带来的

① 元人称《西厢记》作“春秋”，见官大用《范张鸡黍杂剧》第一折。明初王彦贞称他咏西厢故事的百首《小桃红曲》为《摘翠百咏小春秋》，“小春秋”也是对于王实甫《西厢记杂剧》的被称为“春秋”而说的。

假惺惺面具；最后在莺莺月下赴期时，她更再三催促，鼓舞了她挣脱封建枷锁的勇气，毅然去与她自己的情人私会。这是很现实的，在那样的封建社会，如果没有第三者的有力帮衬，青年男女要想实现自由结合的理想，几乎是不可能的。在这里，作者正是凭借红娘这个典型人物，给当时封建社会里无数青年男女指出了一条通向“有情人终成眷属”的幸福道路的。

老夫人，作为维护封建婚姻制度的代表人物看，在《西厢搊弹词》里，她的性格还是不够鲜明的，这主要表现在她对张生的态度还是有好感的。到了王实甫《西厢记》杂剧，张生在这位相国夫人眼里，才只是一个没出息的穷小子，可以随便给他一些钱打发他走的。到后来发现了张生、莺莺之间的关系，她为怕辱没相国家谱，勉强承认他们的既成事实；但同时便冷酷无情地逼张生离开了她们。由于她对这位穷书生的攀上这门亲始终不甘心，后来她听了郑恒几句挑拨的话便又反悔了。当时人们所以拿《西厢记》当作经典看，正因为它反映了当时广大人民的意见：一面提出了一对有情有义、全始全终的夫妇和一些为着实现这种理想婚姻不惜自我牺牲的侠义人物，作为人们的典范；一面指出了那为着维护门户尊严不顾青年人幸福的封建婚姻制度的不合理，作为人们的戒鉴。明白了这一点，那王实甫的《西厢记》杂剧必然要在郑恒投阶、崔张团圆、实现有情人终成眷属时终场，而不能中止于《长亭送别》或《草桥惊梦》，是不需要引许多考证资料来说明的[①]。

在说白与曲文方面，王实甫是更能切合个人的声口，曲曲传出他们各自不同的思想感情的。我们从惠明送信时唱的〔正宫·端正好〕这一套曲子看，王实甫对于那以爽朗泼辣见长的北曲并不是不擅长；可是当写到莺莺在长亭送别时，作者运用了同宫调的一套曲子，成功地表现了她的缠绵悱恻的情绪。此外如张生的热情而乐观，红娘的豪爽与机智，也都在他们的说白与曲文的情调里充分表现出来。为着更切合这一对在封建时代有相当文学修养的青年男女的身份，王实甫在张生和莺莺唱的曲文里熟练地运用古典文学里许多为人传诵的诗句和词汇，来传达他们一种深沉的心情和优雅的风格。这便是“小子多愁多病身，怎当你倾国倾城貌”“系春心情短柳丝长，隔花阴人远天涯近”这些句子所以特别为古今许多青年人所爱好的原因。此外，王实甫在描摹环境、酝酿气氛方面，更其是元人杂

① 《草桥惊梦》以后的第五本各折不是续本，还有两点理由可以说明：（一）王实甫的《西厢记杂剧》主要是根据董解元《西厢搊弹词》写的，而《西厢搊弹词》是以崔张团圆、郑恒自杀作结的。（二）《西厢记杂剧》每本结束的地方都有《络丝娘尾》二句，暗示下一本的内容。第四本第四折结处有《络丝娘尾》二句：“都只为一官半职，阻隔得千山万水。”已经替第五本张生在京得官，两下阻隔，彼此寄信传情，埋伏了线索。

剧中的圣手。像“梵王宫殿月轮高，碧琉璃瑞烟笼罩”“风静帘闲，透纱窗麝兰香散，启朱扉摇响双环”“碧云天，黄花地。西风紧，北雁南飞。晓来谁染霜林醉？总是离人泪”等曲子，往往在剧情一展开的时候，就把读者的心情带到了一种具体的环境里，与剧中人分享那一份月色与花香、风声与鸟语。这是我们在另外有些初期元剧作家的杂剧里比较难于遇到的。

关于《西厢记》杂剧的作者，有人以为是关汉卿①，有人以为是王实甫②，有人以为是王实甫写了前四本，第五本是关汉卿续作的③，也有人反过来说，以为关汉卿先写而王实甫续作的④。自从金圣叹的批本盛行以后，王作关续一说几乎成了定论。他主要的理由是第五本的曲文、宾白没有像前四本那样

① 清毛西河《西厢记考证》说：“明隆万以前刻西厢者，皆称西厢为关汉卿作。”

② 元钟嗣成《录鬼簿》列王实甫所作杂剧十三种，第一种是《西厢记》（据天一阁旧藏明钞本《录鬼簿》）。明初朱权的《太和正音谱》在王实甫名下也首列《西厢记》。

③ 明徐士范刻本《西厢记序》：“人皆以为关汉卿而不知有王实甫：盖自草桥以前作于实甫：而其后汉卿续成之者也。”后来王伯良、金圣叹都是主张这一说的。

④ 《雍熙乐府》卷19《满庭芳西厢十咏》在第九曲咏关汉卿作西厢之后，接下第十曲说：“王家好忙，沽名钓誉，续短添长。”这是主张关作王续的。

的紧凑、典雅。要知道在封建社会里，人民和统治阶级之间的各种矛盾是不可能得到圆满解决的。杂剧的作者为了表达人民的愿望，虽然把一个悲剧改成团圆；然而这是缺少现实根据的，因此在表现上也往往没有力量。《西厢记》杂剧第五本不如前四本精彩，这是一个主要的原因。臧晋叔《元曲选序》，说元人杂剧“虽马致远、乔梦符辈，至第四折往往强弩之末”，也正说明了杂剧创作中的这一种习见现象；因此金圣叹的理由是根本不能成立的。

《西厢记》杂剧谁作谁续的问题既然根本不能成立，剩下的问题便只是关作或王作的问题。我们就现在流传的关汉卿的十几种杂剧看，他所擅长的是刻画种种人情世态，因此他的杂剧里比较多的是写社会问题或借历史故事来反映当时的社会矛盾的。他也写儿女风情的戏，但多数是写妓女与书生的恋爱的。他们之间常因第三者的板障而发出对自己命运的怨恨和对当时社会的诅咒；至于男女双方相互之间的倾慕和爱恋、失望与怨怅，在关汉卿的笔端是较少触及的。王实甫的杂剧流传到今天的还有《四丞相高会丽春堂》一种①，这虽然不是儿女风情的戏，然如第二折开场时的〔中吕·粉蝶儿〕曲、〔醉春

① 《丽春堂》杂剧见臧晋叔《元曲选序》已集上。

风〕曲，第四折的〔双调相公爱〕曲、〔醉娘子〕曲，那笔路还是跟《西厢记》杂剧相似的。王实甫还有《苏小卿月夜贩茶船》《韩彩云丝竹芙蓉亭》两种杂剧，各有一折曲文被收录在《雍熙乐府》里，在描摹儿女风情方面，作风和《西厢记》杂剧尤其近似。最早记录元剧作家作品的《录鬼簿》《太和正音谱》①，都把《西厢记》杂剧归于王实甫的名下，我们今天根据关汉卿、王实甫两家各自在戏曲方面所表现的特殊风格看，《西厢记》杂剧为王实甫作更是无可怀疑的。

王实甫的时代，近人王国维根据他的《丽春堂》杂剧，定他为由金入元的作家②。因为他认为《丽春堂》杂剧写的是金代的故事，而剧本的末了两句："从今后四方、八荒、万邦，齐仰贺当今皇上。"是以祝颂金皇作结的。其实杂剧末了以祝颂"当今皇上"作结，是勾栏演出时的惯例。这祝颂的皇上，是指杂剧演出时的当朝天子，并不指剧中情事发生的某一朝代的帝皇。今本《西厢记》剧终谢圣语"谢当今盛名唐圣主"，金圣叹批本作"谢当今垂帘双圣主"，这是更合于当时杂剧的通例

① 元钟嗣成《录鬼簿》列王实甫所作杂剧十三种，第一种是《西厢记》（据天一阁旧藏明钞本《录鬼簿》）。明初朱权的《太和正音谱》在王实甫名下也首列《西厢记》。

② 见王国维著《曲录》及《宋元戏曲史》。

的[1]。《元史·后妃传》说元大德年间（公元1297—1307年），成宗多病，布尔罕皇后居中用事，政事都由她决定。据陈寅恪先生的意见，这“垂帘双圣主”，正是当时《西厢记》上演时对于元成宗和布尔罕皇后的祝颂。据此推断，王实甫《西厢记》杂剧的写成，当在大德年间，正是元人杂剧的黄金时代。又王实甫的《丽春堂》杂剧第三折有“想天公也有安排我处”及“驾一叶扁舟睡足，抖擞着绿蓑归去”句，都是引用白无咎的〔鹦鹉曲〕的。《朝野新声太平乐府》记冯子振和白无咎〔鹦鹉曲〕在大德六年（公元1302年）。根据这些资料推测，王实甫在戏剧方面活动的年代，主要应在元成宗大德年间及其以后，他的时代应该和白无咎、冯子振相去不远，而比关汉卿、白仁甫稍迟。

当金章宗时的董解元在中国北方弹唱张君瑞、崔莺莺的恋爱故事时，南宋王楙在他所著的《野客丛书》里也提到了张君瑞的名字[2]。这名字当然是根据当时南宋民间的说唱或戏文里的崔、张故事说的。从这里我们可以推断：在宋金对峙的时

---

① 金圣叹评小说戏曲，每多任意改动的地方。然而这“垂帘双圣主”五字不是金圣叹可以凭空捏造出来的。又金圣叹本题目总名第二句：“法本师住持南禅地”，王伯良本作“法本师住持南瞻地”，并附校注云：“南瞻地旧本作南禅地。”可能金圣叹根据的本子正是王伯良所说的旧本。

② 见《野客丛书》卷十二《张家故事》条。《野客丛书》卷末有嘉泰壬戌陈唐卿的跋文，嘉泰壬戌是公元1202年，即金章宗泰和二年。

候，崔、张故事虽各自在南北流行，但张君瑞、郑恒等名字和以崔、张团圆结束的故事梗概，应该在北宋末年就已经有了。到元朝统一中国之后，这些各自在南北流行的唱本、剧本，如《莺莺六幺》《红娘子院本》[①]《诸宫调西厢搊弹词》《南戏崔莺莺西厢记》等[②]，又重新在大都、杭州等戏剧发展的中心汇合拢来。王实甫的《西厢记》杂剧正是在这种情况之下产生的，因此，他比之初期在大都的杂剧作家如关汉卿、白仁甫、杨显之等，带有更多的南宋词人的脂粉气息。以前人比他的曲子作“花间美人”[③]，主要是就这一方面说的。

王实甫的《西厢记》杂剧，对于董解元的《西厢搊弹词》说，是又一次总结性的工作。自从他这一部总结性的天才著作产生之后，不但使当时别的有关崔、张故事的唱本和戏曲逐渐归于淘汰，连董解元的《西厢搊弹词》，后来也慢慢地少人知道了[④]。

---

① 《莺莺六幺》见周密《武林旧事》所载宋代官本杂剧目录。《红娘子》见陶宗仪《辍耕录》所载宋金元三朝院本名目。

② 近人钱南扬根据《雍熙乐府》《盛世新声》《旧编南九宫谱》等，辑得《崔莺莺西厢记》曲文二十一支，可能即是从南宋流传下来的。

③ 明涵虚子论曲：“王实甫如花间美人。”

④ 陶宗仪《辍耕录》《杂剧曲名》条：“金章宗时董解元所编西厢记，世代未远，尚罕有人能解之者。”陶宗仪，元末明初人。

由于王实甫是处在南北混一的时代，当时元人的武力打通了欧亚的海陆交通，都市手工业商业经济的空前繁荣，替杂剧的发展准备了条件。这样就使王实甫比之董解元有更多的可以驰骋天才的余地。明清以来有些学者认为董解元的《西厢搊弹词》高出于王实甫的《西厢记》杂剧[①]；这实在是不了解诸宫调和杂剧在体裁上的不同以及中国古典戏剧的发展道路的。

四、结语

崔、张故事从元微之的《莺莺传》发展到王实甫的《西厢记》杂剧，在五百年的长时间内，经过人民特别是城市平民的选择与哺育，经过了许多民间艺人的改造与加工，把这故事真正美好的一面加以发扬扩大，精雕细琢，而割弃了原作里思想感情不健康的一部分，使它成为中国戏曲里一部典范的著作。由于在崔、张故事里提出的问题，是向来男女青年所普遍关心的婚姻问题，这问题在中国长期的封建社会里是不可能得到圆满解决的；因此，这故事从唐代贞元、元和以后直到今天，还有它反封建的进步意义。

---

① 明胡应麟《少室山房笔丛》、清焦循《易余籥录》都有这种主张。

自从王实甫的《西厢记》杂剧出世之后，到现在又过了六百多年，当时王实甫《西厢记》杂剧首先演出的“大都”，今天已成了人民的首都，这一部曾经为古今无数热爱自由的青年男女所爱好的戏曲，也只有在这人民的时代，才被一致承认为中国古典文学里的伟大著作。张生、莺莺、红娘，这些在封建时代为无数优秀艺人所共同塑造的典型人物，因此也得到更多的读者、观众的热爱。

然而六百多年不是一个很短的时间，元时以北曲格调演出的《西厢记》杂剧，今天已无法在舞台上重现；即过去偶然还在昆腔班子里上演的，也只是明人改编的《南西厢》里的几场戏。它的词曲部分，如不是带着本子对看，一般观众还是不容易领会的。因此，各地方剧种的《西厢记》改编本便纷纷出现，有的改编本如越剧《西厢记》且在全国戏曲会演里得到很高的评价[①]。

为了发扬中国古典戏曲的优秀传统，满足今天广大人民的要求，对于怎样替这个有着悠久历史的伟大戏曲题材做第三次的总结性工作，我们对于崔、张故事的历史发展应该有比较全面的认识。例如元微之的《莺莺传》是在怎样的社会情况下产

① 越剧《西厢记》在1952年全国戏曲会演时得剧本奖。

生的，它为什么会对后来的戏曲小说发生这么大的影响；董解元《西厢搊弹词》的许多情节是怎样添出来的，为什么他对《莺莺传》的结局要做这样大的修正；王实甫的《西厢记》杂剧是怎样产生的，他是怎样利用这种文艺形式反映当时人民的要求的，对这些问题都应该有比较满意的解决。近来有些《西厢记》改本，在《琴心》一场张生不遂所愿时就投奔白马将军的义军，去为老百姓报仇；有的在红娘身上做种种色情的描写；有的在长亭送别之后，张生和莺莺双双私奔。这些不大合理的改动，是和他们对崔、张故事的历史发展没有认识分不开的[①]。这篇叙说主要是希望对崔、张故事的历史发展做比较全面的说明，提供从事戏曲改革工作的同志们参考。如有错误或遗漏的地方仍希望读者指正。

（原载《人民文学》1955年9月号）

---

① 《旧唐书》十三《德宗纪》在贞元十五年（公元799年）十二月有这样的记载："庚午，朔方等道副元帅、河中绛州节度使、检校司徒、兼奉朔中书令浑瑊薨。""丁酉，以同州刺史杜确为河中尹、河中绛州观察史。"和元微之《莺莺传》所记是符合的。以杜确为义军首领，那是违反历史事实的。红娘在《西厢记》杂剧里应该是跟《㑳梅香》杂剧里的樊素一样，是"与小姐作伴读书"的。樊素在《㑳梅香》杂剧里是用正旦扮的，红娘也应该如此。她的满口引经据典，正说明她这一种身份。京戏里的《红娘》以花衫演出，那是不符合她的性格的。

从《凤求凰》到《西厢记》

——兼谈如何评价古典文学中的爱情作品

历史人物故事演变为文艺作品，文艺作品又更深刻地反映历史现实，在我国将近五千年的文明史上，这事例是常见的。

西汉时期的女性在文学史上有深远影响的，一是王昭君，二是卓文君。前者初见于《汉书》，后者初见于《史记》；前者以悲剧的角色现身，后者以喜剧的性格吸引人。她们的故事在从魏晋到唐代的诗文中多次为人们所引用，并在民间文艺中广泛流传。唐人吉师老《蜀女转〈昭君变〉》诗："翠眉颦处楚天月，画卷开时塞外云。说尽绮罗当日恨，昭君传意向文君。"看来在唐代，不仅昭君的出塞和亲被编为当时民间流行的变文演唱，文君的故事同样为说唱女艺人所熟悉[①]。

---

① 这稿子是继我与萧德明同志合写的《从〈昭君怨〉到〈汉宫秋〉》写的，因此连带提到王昭君。

卓文君是蜀郡临邛（今四川邛崃县）首富卓王孙的女儿，从小爱好音乐，青年寡居。司马相如游学归来，在临邛县令王吉处做客。王吉替他设计，要他在卓家一次盛大的宴会上，用琴声挑动文君，又买通文君的侍婢替他通殷勤。文君为相如的文采风流所耸动，趁夜私奔相如，跟相如回到成都。相如是个穷书生，在成都没有产业，生活上遇到了困难。文君摸透了卓王孙的脾气，主动向相如提议，双双回到临邛，在卓家附近开个小酒店，文君当垆卖酒，相如跑堂打杂。为了这个女儿的“败门风”，卓王孙气得好几个月不敢出门，最后只得分一笔财产给她，打发他们走。后来相如到了长安，得到汉武帝的赏识，出使西南夷，路经成都，卓王孙才跑到成都去认亲，还到处夸耀自己的女儿有眼力，早就看中了这个阔女婿。

司马迁在《司马相如列传》里，以赞赏的笔调写文君相如怎样排除重重阻力，结成爱侣；又撕开卓王孙贪富欺贫、趋炎附势的守财奴面目，博得读者会心的微笑。卓文君不顾顽固家长的反对，主动投奔相如；又放下千金小姐的架子，当垆卖酒，弄得那个百万富翁狼狈不堪，表现了喜剧人物的性格特征——聪明机智而又大胆泼辣。

这个喜剧性故事在汉武帝初年出现，不是偶然的。汤显祖《相如》诗：“知音偶一时，千载为欣欣；上有汉武皇，下有卓文君。”说明相如与文君的爱情所以获得美满的结果，是与汉武帝比较开明的统治分不开的。西汉王朝建立初期，封建社会正在上升，经过文景时期的休养生息，国家实力充足，汉武帝雄心勃勃，正待大有作为。相如和他的好友王吉尽管还没有怎样得志，由于他们的才能适应新兴王朝的需要，就有可能玩弄卓王孙于股掌之上，使之人财两失。卓王孙有家童八百人，是地道的奴隶主，在这场斗争里就自然以失败告终。正像《威尼斯商人》里以放高利贷起家的夏洛克，在代表新兴资产阶级力量的安东尼奥等面前，被碰得头破血流一样。

相如以琴声挑动文君是这故事里的重要情节，后来有的演相如文君的戏就叫《琴心记》。从春秋以来，民间一直流传着萧史吹箫作凤鸣，得到秦穆公女儿弄玉的赏识，双双骑凤飞去的故事。在奴隶社会和封建社会的高门大户里，青年男女被内外有别的礼教隔开，往往通过音乐互通感情。汉魏以来，相如以琴声挑动文君的故事长期流传。后来董解元、王实甫的《西厢记》，让张生在崔莺莺墙外弹唱《凤求凰》的曲调，说“昔日司马相如得此曲成事，我虽不及相如，愿小姐有文君之意”（《西厢记》第二本第五折）。可以想见这一曲《凤求凰》影响的深远。

《乐府诗集》卷六十根据《琴集》转录司马相如《琴歌》

二首，就是向来流传的《凤求凰》：

其一

凤兮凤兮归故乡，遨游四海求其凰。
时未遇兮无所将，何悟今夕升斯堂。
有艳淑女在闺房，室迩人遐毒我肠。
何缘交颈为鸳鸯，胡颉颃兮共翱翔[①]？

其二

皇兮皇兮从我栖，得托孳尾永为妃。
交情通体心和谐，中夜相从知者谁。
双翼俱起翻高飞，无感我思使余悲[②]。

这两首歌辞不见于《史记·司马相如列传》，大约是后人弹唱相如文君故事时编写的。第一首表现相如对文君的强烈追求，第二首表现文君夜奔相如双双远走高飞。除当垆卖酒外，已概

① 意是何不一上一下，双双高飞。胡，意即胡不。

② “无感我思”疑当作“无感我帨”。《诗经·召南·野有死麕》：“舒而脱脱兮，无感（动）我帨（佩巾）兮，无使尨（犬）也吠。”意是：你慢慢地来吧，不要动我的佩巾，不要惊动那只狗，让它叫起来。写的就是一次男女的私会。《凤求凰》作者引用它，可见《诗经·国风》里一些写男女私情的诗对后来同类文学作品的影响。

括了故事的主要内容。由于雌鸟在孵卵和育雏期间需要雄鸟长期相伴，我国文学作品上习惯以鸳鸯、凤凰来比喻真挚的男女爱情与和谐的夫妇生活。这两首歌辞也不例外。

根据古代琴曲的记载，几乎每首歌辞都伴有人物故事，《昭君怨》如此、《凤求凰》也如此。从楚辞演变过来的汉赋，前面铺叙两个或三个人物的互相争论，用有韵的散文，结尾是一首或两首歌辞。班固在《汉书·艺文志》里说："不歌而诵谓之赋。"赋指前面的散文，是朗诵的；歌指后面的歌辞，是伴乐歌唱的。由于古代文具朴拙，书写困难，有些含有故事内容的俗赋，它前面的朗诵部分，时过境迁，大都失传，只在《琴操》《琴集》等提要性的著作里记下一点故事梗概；而后面的歌辞因为顺口好记，就容易流传。这种情况在金元以来的戏曲和说唱文学里还留有遗迹。《元刊杂剧三十种》和《天宝遗事说唱诸宫调》，就都删去了叙述性的说白，只留下一套套曲词。

歌辞既是弹唱人物故事的结束部分，歌者情绪昂扬，伴奏洋洋盈耳，所谓"言之不足，故嗟叹之；嗟叹之不足，故咏歌之；永歌之不足，不知手之舞之，足之蹈之也"（《毛诗·关雎序》）。这就自然而然地伴随有表现艺术。如果说琴曲《昭君怨》是我国早期的悲剧性小演唱，《凤求凰》应是比它更早的喜剧性演唱节目。因为文君的私奔相如，比昭君的出塞和亲，时间要早一个世纪左右。

相如文君的故事在流传过程中被加进了新的内容，这就是《西京杂记》记载的《白头吟》的故事。故事说相如到了长安，做了官，阔起来了，想娶茂陵人的女儿做妾，卓文君作了首《白头吟》的诗，表示要同他决绝，相如才回心转意。《白头吟》歌辞见《乐府诗集》卷四十一：

皑如山上雪，皎若云间月；
闻君有两意，故来相决绝。
今日斗酒会，明日沟水头；
躞蹀御沟上，沟水东西流。
凄凄复凄凄，嫁娶不须啼；
愿得一心人，白头不相离。
竹竿何袅袅，鱼尾何簁簁；
男儿重意气，何用钱刀为！

西汉前期还不可能产生这样完整的五言诗，它当然不会是文君作的。但是这首歌辞的出现，对相如、文君一类的故事提出了新的问题，即男方在贫穷时爱上一个女子，后来他阔了，有钱了，还会不会爱上另一个女子？“闻君有两意，故来相决绝”。说明男方的三心二意已成了事实，女方所可能采取的态度是一刀两断，不存在任何幻想。这虽然不符合相如、文君的历史事实，却更深刻地反映封建社会特别是它的上层，男女之间的不平等关系。民间口头创作不会死抠史书来编，更多地是假托历史上某个名人，借题发挥，反映现实。《赵贞女蔡二郎》的故事有哪一点符合《后汉书·蔡邕传》？王十朋逝世不久，他故乡演唱的《王状元荆钗记》，就凭空捏造出钱玉莲、孙汝权的故事。难道汉代民间就不能借文君、相如的故事来表现人民对现实的态度和看法吗？《白头吟》的故事更深刻地反映了历史现实。这就是刘秀建立的东汉王朝正走向崩溃：是非颠倒，统治阶级的一切措施都有名无实。东汉末民谣：“直如弦，死道边；曲如钩，反封侯”，“举秀才，不知书；举孝廉，父别居。”人民对统治阶级的虚伪腐败看得更清楚；对历来流传的《凤求凰》故事，产生了怀疑，就出现了《白头吟》的新情节。

《晋书·乐志》：“凡乐章古辞，今之存者，并汉世街陌谣讴《江南可采莲》《乌生十五子》《白头吟》之属也。……既而被之管弦。……魏世三调歌辞之类是也。”说明《白头吟》原是汉代民间歌谣，后来逐渐用管弦伴奏，成了相和歌辞里的一个节目。又据《宋书·乐志》："相和，汉旧歌也。丝竹更相和，执节者歌。"说明从汉代流传下来的相和歌辞，由三人组成一个小班子演唱，其中一人吹管，一人弹弦，一人打节拍，同时主唱。从上面的历史资料看，相和歌辞《白头吟》，比之琴曲《凤求凰》，不仅有了新的思想内容，艺术上也跨进了一大步。现传《琴操》所记的歌诗五曲，都是《诗经》中诗篇，十二操，九引，都是从西周到春秋的人物故事。这些琴曲及其所弹奏的人物故事显然是以琴为主要乐器演奏的同一乐曲体系。它是在奴隶社会流行的，虽然到汉代也还有人弹唱。而相和歌辞则是从汉代流行起来的一个新的乐曲体系。它跟宋元以来陶真、弹词一类小演唱更接近了。

继承相和歌辞的传统，李白又根据《西京杂记》的记载，作了一首《白头吟》：

锦水东北流，波荡双鸳鸯。
雄巢汉宫树，雌弄秦草芳。
宁同万死碎绮翼，不忍云间两分张。
此时阿娇正娇妒，独坐长门愁日暮。
但愿君恩顾妾深，岂惜黄金买词赋。
相如作赋得黄金，丈夫好新多异心。

一朝将聘茂陵女，文君因赋《白头吟》。
东流不作西归水，落花辞条羞故林。
兔丝故无情，随风任倾倒。
谁使女萝枝，而来强萦抱？
两草犹一心，人心不如草。
莫卷龙须席，从它生网丝。
且留琥珀枕，或有梦来时。
覆水再收岂满杯，弃妾已去难重回。
古时得意不相负，只今惟见青陵台。

李白集里有两首《白头吟》，这首是定稿，还有一首是初稿。“李白斗酒诗百篇”，对这首歌辞却改了又改，并不是他真对千多年前的文君有同情；而是唐代的科举制度，使有些出身寒微的士子，一旦功名得意，就抛弃自己热恋过的女子，给她们带来无穷的痛苦，使李白感到愤慨。“覆水再收岂满杯，弃妾已去难重回”，显然，它已不是《凤求凰》那样的小喜剧，而是一曲“凄凄复凄凄”的悲歌。

《乐府诗集》卷四十一在楚调曲里附录了元稹的《决绝辞》三首，说它也出于《白头吟》：

其一

乍可（宁可）为天上牵牛织女星，不愿为庭前红槿枝。

七月七日一相见，相见故心终不移；

那能朝开暮飞去，一任东西南北吹！

分不两相守，恨不两相思。

对面且如此，背面当何知！

春风撩乱百劳语，况是此时抛去时。

握手苦相问，竟不言后期。

君情既决绝，妾意已参差。

借如死生别，安得长苦悲。

其二

噫春冰之将泮（融解），何余怀之独结？

有美一人，于焉旷绝。

一日不见，比一日于三年，况三年之旷别！

水得风兮小而已波，笋在苞兮高不见节。

矧（况）桃李之当春，竞众人而攀折。

我自顾悠悠而若云，又安能保君皓皓之如雪？

感破镜之分明，睹泪痕之余血。

幸它人之既不我先，又安能使它人之终不我夺？

已焉哉！织女别黄姑（即牵牛），

一年一度暂相见，彼此隔河何事无。

其三

夜夜相抱眠，幽怀尚沉结。

那堪一年事，长遣一宵说。

但感久相思，何暇暂相悦。

虹桥薄夜成，龙驾侵晨列。

生憎野鹊性迟回，死恨天鸡识时节。

曙色渐曈昽，华星欲明灭。

一去又一年，一年何时彻。

有此迢递期，不如生死别。

天公隔是（已是）妒相怜，何不便教相决绝！

这三首诗的内容有三点值得我们注意：一是它们都拿牵牛织女的一年只七夕相会一次，比喻男女双方的爱情生活，这跟秦观《鹊桥仙·七夕》词的“金风玉露一相逢，便胜却人间无数”一样，都是写男女的私情，而不是正常的夫妇生活；二是双方对这种私情的被隔绝感到十分痛苦；三是在从热恋到决绝的过程中，双方产生过怀疑、猜忌，“对面且如此，背面当何知”，“我自顾悠悠而若云，又安能保君皓皓之如雪”，表现这一对恋人之间从热恋到决绝的矛盾冲突过程。这三点相当真实地反映了唐代上层社会青年男女在婚前的恋爱生活，是它以前的同类歌辞里所少见的。

恩格斯根据摩尔根的研究成果，对人类进入文明时代后的两性关系做了历史唯物主义的概括。人类在脱离野蛮状态后，出现一夫一妻制的家庭。恩格斯指出："一夫一妻制的产生是由于大量财富集中于一人之手，并且是男子之手，而且这种财富必须传给这一男子的子女，而不是传给其他任何人的子女。为此，就需要妻子方面的一夫一妻制，而不是丈夫方面的一夫一妻制，所以这种妻子方面的一夫一妻制根本没有妨碍丈夫的公开的或秘密的多偶制。"妻子要对丈夫守贞，丈夫可以三妻四妾，甚至嫖妓。在这种男女地位悬殊的家庭里（当然，在劳动人民的家庭里情况要好得多），"古代所仅有的那一点夫妇之爱，并不是主观的爱好，而是客观的义务；不是婚姻的基础，而是婚姻的附加物"。这样，卖淫、通奸就成为这种婚姻不可避免的补充，它糟蹋了许多青年妇女，也腐蚀了男性自身。但是比之野蛮时代的对偶婚制度，文明时代的一夫一妻制又前进了一大步，因此恩格斯又指出，一夫一妻制的家庭是现代的个人性爱能在其中发展起来的唯一形式。他说："从一夫一妻制之中——因情况的不同，或在它的内部，或与它并行，或违反它——发展起来了我们应归功于一夫一妻制的最伟大的道德进步：整个过去的世界所不知道的现代的个人性爱。”这种现代的个人性爱，表现为性冲动的最高形式——热恋，它“根本不是夫妇之爱。恰好相反，……正是要极力破坏夫妻的忠实”。（以上引文并见《家庭、私有制和国家的起源》第二部分《家庭》）

元稹在《决绝辞》里所反映的男女私情，表现历史上的个人性爱同在封建家长主宰下的夫妇之爱的矛盾。诗中的男女双方如此热恋，仍不得不忍痛决绝，是考虑到这种结合，无父母之命、媒妁之言，要遭到双方家长的反对，也不会得到社会舆论的支持。归根到底，是历史上的个人性爱向封建婚姻制度的屈服。

如果说《决绝辞》只朦胧地表现历史上的个人性爱同封建婚姻的矛盾，《莺莺传》由于运用了当时流行的传奇小说的体裁，塑造了崔莺莺这个悲剧人物的形象就鲜明不过地表现了恩格斯所说的“在古代充其量只是在通奸的场合才会发生”的两性关系，它是违反了封建家长主宰的一夫一妻制而发展起来的历史上的个人性爱。莺莺给张生的信说：“始乱之，终弃之，固其宜矣，愚不敢恨。必也君乱之，君终之，君之惠也；则没身之誓，其有终矣。”在妻子要对丈夫片面守贞的封建社会，女子要“从一而终”，如果跟人私通，又另嫁一个丈夫，将招来终身的不幸。处在莺莺的地位，当然希望张生“君乱之，君终之”，把双方的性爱关系贯彻到底。可是同样的情况，对男子来说，不过是道德上的小污点，即一般说的小节问题，即使另娶一个女子，不会影响他在家庭的统治地位和个人的功名前程。因此处在张生的地位，却认为“始乱之，终弃之”，等功成名就之后另找高门，明婚正配，才是“善于补过”。后来王实甫写《西厢记》里的崔莺莺在同张生私自结合时说：“妾千金之躯，一旦弃之。此身皆托于足下，勿以他日见弃，使妾有‘白头’之叹。”同样表现男女之间在性爱上的不平等地位，同时说明汉代民间歌谣《白头吟》里提出的问题，再一次在金元戏曲里得到反映。

《莺莺传》写莺莺的深沉性格是：“艺必穷极，而貌若不知；言则敏辩，而寡于酬对；待张之意甚厚，而未尝以词继之。”她聪明美丽，有较好的文艺修养，但都不敢轻易流露。这是沉重的封建压力在一个青年知识妇女身上的表现。作者在她最初去见张生的片刻就有所描绘，随着故事情节的发展，逐步加以深化，直到她被张生无情抛弃，还“临纸呜咽，情不能伸”，有苦无处诉。莺莺的悲剧形象概括了历史上许多受封建礼教约束和被轻薄少年遗弃的善良少女的共同命运，十分动人。可是作者对她的主观评价是“不妖其身，必妖于人”的“妖孽”，表现了封建文人的正统观念。这样，它在通过说唱、戏剧等通俗文艺在民间流传过程中，必然为大多数城市中下层民众所不能接受，促使那些演唱莺莺故事的民间艺人加以改造，像《凤求凰》在汉魏民间流行时被改造为《白头吟》一样。不过这次不是把喜剧改成悲剧，而是把悲剧改成喜剧。莺莺不再是“不妖其身，必妖于人”的“妖孽”，张生也不是对莺莺“始乱终弃”的轻薄少年，而是像董解元所弹唱的“从今至古，自是佳人，合配才子”，“一个趁了文君深愿，一个酬了相如素志”。事隔二千年，同一个母题的人物故事，先是从喜剧转到悲剧，后来又从悲剧转到喜剧，转了一整圈，又经王实甫的彩笔加工，故事内容大大丰富，人物形象更其鲜明。它不是回到原来的起点，而是螺旋形地上升了。这螺旋形的上升，从历史内容看，不再是新兴地主阶级与没落奴隶主阶级的矛盾；从艺术形式看，不再是从琴曲歌辞向相和歌辞的转化，而是从封建文人借以表现诗才、史笔的唐宋传奇向城市人民用以娱乐自己也教育自己的金元戏曲的转化。因此不论从历史内容或艺术形式看，都大大地提高了，丰富了。

董解元、王实甫在改造《莺莺传》中莺莺的悲剧形象时，保留了她性格中深沉的一面，但已不是对封建压力的片面屈从，更多地是为了防止封建势力对她的美好愿望的破坏。她没有在贴身侍婢红娘面前轻易流露自己对张生的爱慕，就是这种性格的表现。作者还通过她同张生、红娘、老夫人之间的矛盾冲突，表现她性格中机智、泼辣的一面。她对张生是能擒能纵，对红娘是有真有假，对老夫人还敢嗔敢骂。这就有效地吸收了文君相如故事的成就，又赋予她以新的历史风貌[①]，完成了这个喜剧角色的创造。

王实甫的《西厢记》在古典戏曲中影响最大，版本也最多。张生莺莺的有情人终成眷属，向来赢得青年读者的赞赏。但老一辈的封建家长大都反对它，说它是“诲淫之作”，严防青年人去看。五四运动提倡男女平等，自由恋爱，它暂时交了好运；但好景不长，大革命失败后有些家长、教师仍禁止子女、学生看。解放后它又交了好运，在大学中文系的文学史课里重点加以介绍，袁雪芬同志主演的越剧《西厢记》还到东欧演出，得到国际友人的好评。“文化大革命”期间它又遭了厄

① 这新的历史风貌，是指隋唐实行科举以来知识青年在恋爱和婚姻问题上的表现，如男女双方以诗词传情，女方怕男方一旦金榜题名就另选高门等。这在《莺莺传》里已经有了，但到了《西厢记》的“联吟”“闹简”“长亭送别”等场，就更淋漓尽致地加以渲染。

运，说它是宣扬爱情至上的才子佳人戏，连同古今中外的爱情作品统统被打入冷宫。究竟应该怎样评价历史上这类爱情作品呢？马列主义者对这个问题是有自己的看法的。

马克思主义认为人类有三种生产，即物质生产、精神生产和人类自身生命的再生产。这第三种生产就是夫妻之间的关系，父母和子女之间的关系，也就是家庭。家庭关系和物质生产、精神生产密切相关，尤其是以家庭为生产单位的封建社会。家庭关系处理不好，不仅影响夫妻双方的工作和生活，还将影响父母对子女一代的教育，因此不能避而不谈，而且必须根据历史唯物主义的观点把它谈清楚。

人类的生产活动虽然有三种，居于首要地位的是物质生产。因为人们“为了生活，首先就需要衣、食、住以及其他东西。因此第一个历史活动就是生产满足这些需要的资料，即生产物质生活本身”（马克思、恩格斯：《德意志意识形态》《马克思恩格斯选集》第1卷32页，1972年版）。如物质生产搞不好，生活资料缺乏，连本身生命都难于维持，就谈不到自身生命的再生产。明确了这一点，我们就会从劳动生产的观点出发，摆正恋爱问题、婚姻问题的位置，要求在共同劳动中建立感情，先立业，后成家，才是正理。所谓“爱情至上”的说法，就不攻自破。古典文学中的爱情作品，男女主人公大都出身于封建社会的上层，不需要参加物质生产劳动，作品又是以描写爱情为主的，这就容易给读者以错觉，好像爱情在生活里是高于一切的。根据马克思主义对于人类生产活动的概括，既把这些作品放在一定的历史范围，肯定它们在描写青年男女的爱情生活时，打开了封建家长统治的一个缺口，有一定的历史进步意义；又要站在今天的历史高度，看到它们的历史局限和阶级局限，批判其中的封建性糟粕和适应小市民低级趣味的色情描绘。（这在宋元以来的戏曲小说中表现得更严重，董解元、王实甫的《西厢记》中同样存在）这才能在介绍这些作品时，既从文学历史发展的一个侧面，给读者以一定的历史唯物主义的观点和方法；同时消除读者对这些作品的错觉，好像爱情是高于一切的，甚至陶醉于作品中一些庸俗描绘，想入非非。

从历史发展的观点看，进入文明社会的人类有三种不同的性爱和婚姻形式。古代的性爱同一夫多妻制的家庭相适应，是奴隶社会、封建社会的产物。它由父母主宰子女的婚姻，不考虑男女双方是否愿意。这种婚姻剥夺了青年男女选择配偶的自由，男尊女卑的家庭造成片面贞操观念，给女方戴上沉重的精神枷锁，因此长期以来就造成种种悲剧。但它在古代社会仍有一定的合理性，因为它是历史上的个人性爱可能从其中发展起来的唯一形式。随着封建社会逐渐没落，资本主义生产关系的逐步萌芽，这种婚姻形式就愈来愈显出它的不合理，从而产生了反映青年男女自愿结合、跟封建家长展开斗争的悲剧或喜剧，甚至如《西厢记》那样，提出“愿普天下有情的都成了眷属”的想法。

现代的性爱考虑到男女双方是否自愿，它要求男女平等，恋爱自由。恩格斯在《家庭、私有制和国家的起源》里对它做了科学的概括，列宁在《卡尔·马克思》里又从经济基础说明它：

> 现代资本主义的最高形式准备着新的家庭形式，并为妇女的地位和青年一代的教育准备新的条件：在现代社会内，女工和童工的使用，父权制家庭被资本主义瓦解，必然要通过最可怕最痛苦最可恶的形式。可是“由于大工业使妇女、少年和儿童在家庭范围以外，在社会地组织起来的生产过程中起着决定性的作用，它也就为家庭和两性关系的更高的形式建立起经济基础……”

明确了现代的性爱是建立在资本主义大工业生产的经济基础之上的更高的两性关系，那么，不仅“赤绳系足”“天作良缘”

等荒唐传说，只能置之一笑；就是“愿普天下有情的都成了眷属”，也不过是一种空想。因为当时的封建经济还不可能为这种想法提供实现它的物质基础。

比之古代性爱，现代性爱虽然是两性关系的更高形式，但还仅仅是通过当事人双方的契约形式建立的婚姻。由于物质生产还远没有满足社会普遍的需要，男女双方在选择对象时不可能排除种种经济的考虑，如对方的工资、家底等等，因此在婚姻问题上男女双方都还不可能有充分的自由。恩格斯说：“结婚的充分自由，只有在消灭了资本主义生产和它所造成的财产关系，从而把今日对选择配偶还有巨大影响的一切派生的经济考虑消除以后，才能普遍实现。到那时候，除了相互的爱慕以外，就再也不会有别的动机了。”（《家庭、私有制和国家的起源》第二部分《家庭》）这就是到了共产主义社会才能普遍实现的未来性爱和未来家庭，它是从现代性爱和现代家庭继续发展起来的性爱形式和家庭形式。

从《凤求凰》到《西厢记》等作品的主要矛盾，是处于萌芽状态的现代性爱和占据统治地位的古代性爱的矛盾，也即出于男女自愿的私情和封建婚姻的矛盾。作品中正面人物身上有一定的理想色彩，但还不是我们的理想。我们的理想是沿着社会主义道路胜利前进，逐步消灭资本主义生产关系，为未来性爱和未来家庭的实现创造条件。这样，我们在评价《凤求凰》《西厢记》等作品时，才能从实际出发，除糟取精，引导青年向前看，既不是把它们看作洪水猛兽，有意回避或禁止；又不是把它们理想化，过分加以抬高、引导青年向后看。

评价文学作品当然要把思想分析放在首要地位，但作品的思想内容总是通过一定的艺术形式表现出来的，如果对古典文学作品在艺术上的成功和失败都不能分析，那么，怎样借鉴他们的有效经验，怎样避免前人在创作中走过的弯路和艺术上的败笔，就都将成为一句空话。古典文学中一些影响深远的作品，不仅从时代的激流中直接吸取源泉，表现新的历史内容；艺术上也总是艰苦创造，推陈出新，形成自己独特的风格。评价古典文学作品的思想内容，要放在一定的历史范围来看；评价它们的艺术成就同样要采取历史分析、历史比较的方法。李白的《白头吟》比之汉代民间流传的《白头吟》，主题思想是相近的，艺术成就要高得多，因为从东汉到盛唐，五七言诗的音律、句法以及意境的创造、艺术的构思，都在长期创作中总结出一套完整的技法，诗人在创作时才有可能左右逢源，挥洒自如，在艺术上达到前所未有的高度。王实甫的《西厢记》比之董解元的《西厢记》，思想内容上没有多少新的东西，艺术上确是更完整也更提高了，因此就后来居上，取得了“天下夺魁”的荣誉[①]。难道除了思想上的成就，它们的艺术经验就没有值得后人认真学习、批判继承的地方吗？林彪、“四人帮”空头政治的流毒在古典文学领域的反映，是片面强调思想批判，完全忽视艺术欣赏。其中部分描写爱情的作品一概被看作毒害青年的腐蚀剂，即使有杰出的艺术成就，也认为是裹在毒药上的糖衣，一笔加以抹杀。今天我们必须把这个偏向纠正过来。

最后还想谈谈怎样更全面地看待恋爱、婚姻问题以及它在古典文学中的反映。

南朝有首民歌：“奈何许，天下人何限，慊慊只为汝？”在无限的天下人里面，为什么只看上你一个呢？元好问有两句词：“问世间情是何物，直教生死相许？”爱情究竟是什么东西，简直要为它付出生命？看来不管南朝的民间歌手也好，元代的杰出诗人也好，对历史上的男女爱情问题都不能做出明确的回答。

照我们今天看来，这其实就是历史上的个人性爱。恩格斯在说明历史上的个人性爱时说：“在中世纪以前，是谈不到个人的性爱的。不言而喻，体态的美丽、亲密的交往、融洽的旨趣等等，曾经引起异性间的性交的欲望，因此，同谁发生这种

---

① 明初贾仲明吊王实甫词：“新杂剧，旧传奇，《西厢记》天下夺魁。”

最亲密的关系，无论对男子还是对女子都不是完全无关紧要的。但是这距离现代的性爱还很远很远。”根据男女双方个人的体态、志趣、彼此的亲密关系而产生的性爱，这就是历史上的个人性爱。那么什么又是现代的个人性爱呢？恩格斯又根据当时欧洲资本主义社会的情况，对它做了概括。他说：“现代的性爱，同单纯的性欲，同古代的爱，是根本不同的。第一，它是以所爱者的互爱为前提的；在这方面，妇女处于同男子平等的地位，而在古代爱的时代，绝不是一向都征求妇女同意的。第二，性爱常常达到这样强烈和持久的程度，如果不能结合和彼此分离，对双方来说即使不是一个最大的不幸，也是一个大不幸；仅仅为了能彼此结合，双方甘冒很大的危险，直至拿生命孤注一掷，而这种事情在古代充其量只是在通奸的场合才会发生。最后，对于性交关系的评价，产生了一种新的道德标准，不仅要问：它是结婚的还是私通的，而且要问：是不是由于爱情，由于相互的爱而发生的？”

根据恩格斯的论述，现代的个人性爱是在一夫一妻制的婚姻中发展起来的。它的发展有三种形态：一种是在一夫一妻制内部发展的。就是在夫妇结婚之后，双方在体态、情趣上都比较相投，又长期生活在一处，彼此互相了解，有可能产生越来越亲密的爱情。这正是电影《李双双》里的喜旺对二春说的：“你们是先恋爱后结婚，我们是先结婚后恋爱。”当这种爱情遭到外力的破坏时，为维护他们美好的生活，他们的反抗十分强烈，甚至不惜付出生命。我国古典文学中从韩凭夫妇（李白在《白头吟》里所称道的“古来得意不相负，只今惟见青陵台”，就是指的他俩）和焦仲卿夫妇的故事，直至宋元以来的《荆钗记》《易鞋记》，双方都没有经过自由恋爱的阶段。但当他们的夫妇生活受到外力破坏时，他们同样以此为最大的不幸，甚至双双殉情。它跟《梁祝哀史》《娇红记》等故事同样感动了古今无数人。一种是与一夫一妻制平行发展的，这就是男女双方在个人体态、情趣上的相投，经过公开或秘密的交往，引起性爱的冲动，彼此私自结合，有时还取得父母的同意，正式结婚。从《凤求凰》到《西厢记》，以及后来《牡丹亭》中的杜丽娘、柳梦梅，《红楼梦》中的林黛玉、贾宝玉，他们所追求的爱情都属于这一种。这种通过个人性爱结成的婚姻，在人类从野蛮时代向文明时代过渡时还并不认为违法或可耻。《周礼》卷十四有“仲春之月，令会男女，奔者不禁”的记载。《诗经·国风》中有许多被后来儒家骂为“淫奔之诗”的歌谣，在从西周到春秋的几百年间一直被人们当作好诗传诵甚至在外交场合上引用。可见当时上层社会也并没有把男女私奔看作怎样可怕的丑事。唐宋以后我国封建统治阶级对青年男女私自结合的防范愈来愈严，但在边疆少数民族地区，仍允许青年男女在共同劳动或节日歌舞中自择配偶。汤显祖的《黎女歌》歌唱了黎族青年男女的携手游戏，以对歌表达爱情。陆次云的《跳月记》，记载了西南地区苗族青年在月夜的共歌共舞中自择配偶。我解放前在中山大学还看见学生跳《阿细跳月》的舞蹈。可见这种历史上的个人性爱，长期以来，一直与一夫一妻制平行发展。最后是违反一夫一妻制发展起来的个人性爱，这主要是指那作为一夫一妻制的补充的卖淫与通奸。封建社会的一夫一妻制既然没有限制男子的多妻，在男子对他合法的妻子感到厌弃时，就可以娶妾、狎妓或与别的女子私通。在这些违反一夫一妻制的男女性关系中，在特殊情况下也有可能产生强烈的个人性爱。前者如唐人传奇中的《李娃传》《霍小玉传》，以及后来许多写妓女与书生或小商人的小说或戏曲，如谢天香、玉堂春、花魁女等的故事。后者如唐人传奇中的步非烟私通赵象的故事，辽人笔记中的萧观音私通赵惟一的故事，在我国古典文学，尤其是宋元以来的戏曲小说与民间歌谣中，同样有充分的反映。

比较全面地考察了我国古典文学中反映个人性爱的作品，可以概括出如下的一些共同点。

（一）正常的性爱是通过男女双方个人之间的情投意合，

即个人性爱来进行的。因此我国古典文学中表现进步倾向的作品，总是肯定了双方真情相爱的婚姻，谴责利用金钱、权势，或通过阴谋、暴力达到性欲目的的卑鄙行为。《西厢记》《红楼梦》，以及《聊斋志异》里的少数优秀篇章都是如此。

（二）历史上的个人性爱既是人类发展到文明时期在性生活中出现的进步因素，而封建社会的家族利益、礼法观念对个人的压力，以及金钱、权位对个人的引诱，每每使当时与一夫一妻制平行发展或违反它发展的个人性爱不容易善始善终。古典文学中的文学作品，在写到这种问题时，总是歌颂那些在个人性爱上坚贞不渝的人物，如梁山伯之于祝英台，王金龙之于玉堂春，而谴责那些为迁就家族利益或追求金钱、权位，背弃他曾经热恋过的爱侣，如王魁之于敫桂英，李甲之于杜十娘，莫稽之于金玉奴等等。

（三）一夫一妻制是现代的个人性爱所由以发展的婚姻制度，在历史上有它的进步性。因此，我们不能把在一夫一妻制内部发展起来的夫妇之爱，排斥于个人性爱之外，一概都认为封建家长制的产物。“五四”时期我们接受了西方资本主义的民主思想，提倡自由恋爱，反对包办婚姻，这是完全正确的。但我们当时没有认识到在一夫一妻制的婚姻内部也有可能发展现代的个人性爱；这就是历史的局限。与此相联系，我们对古典文学里表现生死不渝的夫妇之爱的作品，如元稹的《遣悲怀》，苏轼的《江城子·记梦》，贺铸的《半死桐》等诗词以及《徐德言破镜重圆》《王状元荆钗记》等小说戏剧，也就没有给予应有的历史评价，这显然是个偏见。

（四）男子多妻是野蛮时代婚姻制的遗留，又是阶级社会富贵人家的特产。我国进步的古典文学作品，如唐人小说《步非烟传》、元人杂剧《百花亭》、明人传奇《红梅记》，以及《红楼梦》中尤二姐、鸳鸯的悲剧，总是以同情的笔调描写豪门婢妾的不幸命运，谴责虐害她们的贵官恶霸。而像《十美图》《拥双艳》等以男子多妻为可羡的作品，总是被怀有民主思想的人们所唾弃。貌似多夫的妓女，是男权社会穷苦家庭的妇女被迫卖身的结果。我国进步的古典文学作品，如关汉卿、石君宝、薛近衮、冯梦龙等，大都以同情的笔调描写妓女的不幸。而郑虚舟的《玉玦记》，由于对妓女的恶意糟蹋，就长期销声匿迹，没有被搬上舞台。当然，历史上的进步作家也不可能为这些不幸的妇女找到一条真正的解放道路，像我国20世纪50年代初期的电影《姊姊妹妹站起来》所反映的情景那样，这是他们不可能超越的历史局限。

（五）一夫一妻制是人类社会在长期发展过程中排除史前时期种种野蛮的、落后的男女性关系的成果，也是现代性爱所可能借以产生的婚姻制度。我国旧戏舞台，凡是写男女婚姻纠葛的戏，大都以一夫一妻的团圆结束，说明它是符合一般观众的愿望的。由于阶级的不平，男女的不平，以及封建家长制的统治，在我们今天看来，它远不是完善的。随着社会的继续发展，物质生产越来越丰富，人们的思想境界越来越提高，男女渐趋平等，人剥削人、人压迫人的现象不复存在，未来男女的个人性爱将得到充分的自由，未来的婚姻将在一夫一妻制的基础上更臻完善，而多妻与卖淫的现象将渐归于消灭，这是我们今天可以预见到的。过去有人以为到了共产主义社会，男女性生活将更随便，一夫一妻制的婚姻将被消灭，这是毫无根据的。恩格斯在《家庭、私有制和国家的起源》里，曾经回答了当时可能提出的问题："既然一夫一妻制是由于经济的原因而产生的，那末当这种原因消失的时候，它是不是也要消失呢？可以不无理由地回答：它不仅不会消失，而且相反地，只有那时它才能十足地实现。因为随着生产资料转归社会所有，雇佣劳动、无产阶级、从而一定数量的——用统计方法可以统计出来的——妇女为金钱而献身的必要性，也要消失了。卖淫将要消失，而一夫一妻制不仅不会终止其存在，而且对于男子也将成为现实。"说得再明白不过了。

从人类历史发展看，家庭，包括与它相适应的性爱性质与婚姻形式，总是随着社会从低级阶段向较高阶段的发展而发展，群婚制是与蒙昧时代相适应的，对偶婚是与野蛮时代相适应的。在文明时代的人类社会由于在对立统一的阶级运动中发展，人们的家庭与婚姻，既有其共同的历史形态，又有其不同的阶级特征。反映在文学上就呈现种种错综复杂的现象。恩格斯利用摩尔根的科学成果，又考察了希腊罗马以来大量的历史资料和文学作品，对此做了精辟的分析与概括，体现在他的《家庭、私有制和国家的起源》的观点与方法，是我们今天研究中国古典文学中大量反映家庭与婚姻问题的作品时所必须遵循的指针。但是恩格斯当时并没有考察过我国的这一部分的历史著作与文学遗产，他的个别结论并不适合我国历史的情况①，因此就有待于我们自己的认真研究，从中引出一些更符合我国历史实际的结论。

---

① 恩格斯说到优秀的雅典艺伎怎样受古人的尊崇，我国古代就不曾出现过这现象。他不止一次提到的中世纪的骑士的爱以及德国古典文学中描写骑士跟他情妇离别时的悲歌，这种文学现象，在我国出现是以书生与小姐的悲欢离合来表现的。至于他说“当事人双方的相互爱慕应当高于其他一切，而成为婚姻基础的事情，在统治阶级的实践中是自古以来都没有的”，更不能用以概括我国的历史情况，难道卓文君和司马相如、贾午和韩寿不是由于互相爱慕而结成婚姻的吗？在文学上的反映就更明显不过了。

这篇稿子试图从西汉前期流传的《凤求凰》到元明以来盛行的《西厢记》，对我国古典文学中部分描写家庭与婚姻的作品，提出个人的初步看法。由于我所探索的主要是跟这一条线有联系的，即一般说的才子佳人的故事，牵涉到其他方面的作品虽略有涉及，未能展开论述。我想读者是可以理解的。

（原载1980年《文学遗产》第1期）

我怎样研究《西厢记》

我怎样研究《西厢记》，这题目是同学们给我出的。这问题不好谈，因为牵涉到个人的地方太多，难免主观片面。但也有好处，可以回顾一下自己走过的道路。我准备谈以下四个问题。

一、我怎样爱上《西厢记》的

首先是《西厢记》的舞台形象吸引了我。我出生在南戏的发源地温州，那里民间演出较多。我的老家上田村周围有好几个村子，每逢春秋两季，各村轮流演社戏，我几乎每次都去看。当时经常演出的节目有《琵琶记》《荆钗记》《西厢记》等。演《西厢记》红娘角色的是个著名的老艺人，名叫高大姆。他演《南西厢》中的“月下围棋”“闹简”“拷红”等都很出色，给我留下很深的印象。我爱《西厢记》就是从他的舞台形象开始的。

其次是《西厢记》的清词丽曲吸引了我。我年轻时不大会欣赏《西厢记》的说白，但却十分喜爱它的曲词。因为我从小背了许多唐诗宋词，顺流而下，觉得《西厢记》的曲词漂亮极了，读来真是像《红楼梦》中所形容的“词句警人”，感到余香满口。

最后是《西厢记》的反封建精神引起了我的共鸣。我青少年求学期间，正值五四运动至第一次国内革命战争时期。当时我受到新思潮的影响，有追求恋爱自由、家庭民主的愿望。封建家长最怕我们年轻人看《西厢记》《红楼梦》这类书，但他们越禁，我们越爱看。书中崔莺莺、张君瑞追求个人自愿结合，提出“愿普天下有情的都成了眷属”的口号，不知不觉打动了我，使我在生活上走上与他们类似的道路，甚至比他们更大胆。

二、我怎样研究、整理《西厢记》的

这可分三个阶段来谈。

第一阶段，是对方言俗语的考证，用前人治经的方法来考证戏曲小说。我采用这种方法绝不是偶然的。首先是受清末著名学者孙诒让的影响。孙是温州瑞安人，和我有间接的亲戚关系。我在瑞安县立中学学习时，就住在他家里。孙家藏书很多，并有一些经孙氏亲笔校勘、批注的本子。我看了他的部分手稿以及和同时学者讨论问题的通信，非常钦佩他学问的渊博和治学态度的严谨。后来我对元人杂剧的校勘和考证，如果说态度还比较认真的话，就是受这位前辈学者影响的结果。那么，我为什么不沿着他的足迹，用他的治学精神去考证《周礼》《墨子》等著作呢？这又与"五四"时期提倡平民文学有关。当时不少人为小说、戏曲做考证，认为它们的价值不在群经诸子之下。我在这种风气影响之下，开始考证《西厢记》的方言俗语，用治经的方法来治戏曲。这可说是地方前辈学者考证学的传统和"五四"时期平民文学的思潮结合的产物。

为了做好考证工作，我做了两次关于元人戏曲的俗语方言的卡片。第一次卡片是在松江教书时做的。抗日战争期间松江沦陷，卡片全部丢失了。第二次卡片是在解放后做的，现在还保留着大部分。为元剧俗语方言做卡片的工作不仅对研究《西厢记》有用，而且为我后来研究关汉卿、马致远等其他元人戏曲打下了基础。我当时把全部元曲中难懂的词句都摘录出来，做成卡片，这工作是很笨、很艰苦的；现在做学问的人，愿意这样做的人并不多。但是如果要认真做学问，从弄通语言文字入手是不可少的。

第二阶段，是对故事源流的探索，可以说是用前人治史的方法来研究戏曲小说。这方面直接指导我的是东南大学教戏曲的吴梅先生，同时还受王国维先生《宋元戏曲史》等著作的影响。吴先生上课一口苏州话，我最初不大听得懂他的话，但在课外找他谈，却谈得很好。他很爱护青年，经常借书给学生看。他第一次借给我的就是暖红室刻本的《六幻西厢记》。除王实甫的《西厢记》外，还有唐元稹《会真记》、金董解元《西厢记诸宫调》以及明李日华、陆天池的两种《南西厢》。由此引起我研究《西厢记》源流的动机，从诗歌、小说、诸宫调等方面对《西厢记》的人物故事追本溯源。《从〈莺莺传〉到〈西厢记〉》一文就是这种探索的成果。

第三阶段，是对《西厢记》思想艺术的评价。《西厢记》的版本很多，评论也多。解放前，我选择了前人的部分评语，编成《集评校注〈西厢记〉》一书，初步总结了前人对它的思想艺术的评价，但还没有提出自己的看法。解放后，我在《从〈莺莺传〉到〈西厢记〉》一文中，分析了这个剧的人物塑造、语言运用等问题，主要是从男女平等、自由恋爱等观点来评价。“文化大革命”期间，我长期靠边站，书不能教，文章也不能写，就专心阅读马列主义的经典著作。我联系中国的历史文化反复学习，反复思考，对《西厢记》的戏剧内容产生了新的看法。另一方面，解放后的新中国也为我进一步评价《西厢记》提供了条件。解放前，想看一场荀慧生演的《红娘》是千难万难的。解放后，我参加了中国戏剧家协会和广东省戏剧改革委员会，有机会看到全国各地最优秀的剧团、演员的演出，如袁雪芬、徐玉兰演的越剧《西厢记》，河南常香玉演的豫剧《红娘》等。我又看了一些中外的优秀电影、话剧，学习了马列主义有关婚姻、家庭的论述和文艺理论著作，在思想和艺术上都形成了对《西厢记》的新看法。《从〈凤求凰〉到〈西厢记〉》一文就是这些看法的总结。拿这篇文章和《从〈莺莺传〉到〈西厢记〉》相比，两者有连带关系，但思想体系各异，前者试图用马列主义的观点评价《西厢记》的思想艺术成就，后者则仅仅用自由恋爱和平民文学的观点加以评价。

三、我在研究中解决了什么问题，还有什么问题未解决

第一，版本问题。我比较成功地解决了金圣叹评点本的问题。金本是清初至解放前最流行的本子，我年轻时看的是金

本，接受的也是金圣叹的观点。金本充分肯定《西厢记》的前四本，认为是王实甫所作，这是对的。但他把第五本看作关汉卿的续本，贬得一钱不值，这是错误的。他为了证明自己的某些观点，还假借古本，妄改曲文，这就更错了。清末开始有人怀疑金圣叹的看法，翻刻了明末一些比较接近原著的本子，但没有将它们与金本做认真的比较、分析。1944年，我的《西厢五剧注》出版后，金本就逐渐少人看了。我的《西厢五剧注》以凌濛初本为底本，吸收了王伯良、毛西河、汲古阁六十种传奇本的长处，并参照了《康熙乐府》所录的《西厢记》曲文，有所校正。又对原本中的异体字做了些划一的工作。这样，我的本子出版后，金本就自然少人看了。还未解决的问题，是解放后新发现的本子还来不及仔细研究。如1957年《古本戏曲丛刊》收集的明弘治年间的刻本以及刘龙田、张深之等的本子。最近北京中国书店还发现了可能是元末明初刻本的《西厢记》残页。如果现在要出版一个更好的《西厢记》本子，那么，对这些新本都应做认真的校勘。其次，是插图问题。解放后出版的《西厢记》本子，插图很少。其实过去《西厢记》的插图是很多的，特别是明末清初本的插图，有不少出自当时名画家之手，更为珍贵。我曾将明刻本陈洪绶画的二十一幅精美插图，交给上海新文艺出版社，但他们只选印了两幅，其余的都没有采用。今后如出新版，可以选用前人的插图，也可以由现代画家来创作。还有异体字的整齐划一问题。古本有些字体今天已不通行。为了便于今天的读者，我将一些声音、意义相同的异体字改为今天通行的字。如“每”字改为“们”字，“妳”字改为“奶”字，“忒”字改为“太”字等。但学术界有些同志认为这是“妄改古书”，将来人家看到原刻本会看不懂，应保留古书的原貌，这也有一定的道理。

第二，方言俗语问题。过去对《西厢记》的方言俗语争论很多，解释不一。我由于对元人戏曲的方言俗语及前人的注释做过比较认真的调查研究，较好地解决了《西厢记》的语言问题。没有解决的主要是文体问题。我的本子用文言文注释，影响了今天某些读者的理解。中华书局上海分局曾建议我再出一种用语体文注释的本子，但我工作较忙，挤不出时间搞。其次还有漏注和存疑的地方。如剧中“拷红”折里红娘唱的“世有、便休、罢手”句，过去我以为“世有”是“世上有”的意思，不用注释。后来看了张相的《诗词曲语辞汇释》，说“世有”是“既有”的意思，因此我是漏注了。存疑的地方如张生赴京科举时，接到莺莺叫琴童带给他的琴，有“闭门学禁指”的一句唱词，“禁指”我也解释不了，只能存疑。

第三，《西厢记》的作者问题。这问题向来分歧很大，大致有四种说法：关汉卿作，王实甫作，关作王续，王作关续。金圣叹本流行后，王作关续几乎成了定论。我根据《录鬼簿》和元末明初的其他有关材料，做了比较全面的考证，认为《西厢记》五本都应是王实甫的手笔。1961年，杨晦同志发表文章，认为《西厢记》剧的第五本与前四本的风格迥然不同，应是另一作者手笔。陈中凡先生也发表文章，认为元人周德清称“关、郑、白、马”为元曲四大家，没有列入王实甫，因而怀疑《西厢记》剧作者并非王实甫，而是比郑德辉更晚的一个作家。我在《光明日报》的“文学遗产”专栏发表文章与陈先生商榷，经过两次争论，观点逐步接近。学术上的百家争鸣，使《西厢记》的作者问题终于接近解决；但第五本有部分曲词不类王实甫的手笔，我怀疑它是从民间另一个本子沿袭来的。还未解决的问题，是王实甫的姓名、职务、生平有待于进一步考察。天一阁蓝格本《录鬼簿》在“王实甫”下注：“德名信，大都人。”“德名信”可能是“名德信”的倒文，也可能是“名信德”的倒文。据《传奇汇考标目校勘记》“别本第八”有“王德仲，大都人，一云即王实甫”的注文。“德仲”当即“德信”，以形近而误。因此，王实甫名德信，是比较可信的。

关于王实甫的生平，有人根据明散曲集《词林白雪》所载的《商调·集贤宾·退隐》一曲，中有“有微资堪赡赒，有庭园堪纵游”等句，推测他做过官，有点积蓄，晚年过着悠闲的退隐生活。如果这套曲子确是王实甫写的，那他就是个隐逸诗人。但据明初贾仲明为王实甫写的《凌波仙》吊词看，他却是个过着“风月营密匝匝列旌旗；莺花寨明飏飏排剑戟”的生活的书会才人。这两种说法哪一种对？我觉得《商调·集贤宾·退隐》这套曲子的消极出世思想与《西厢记》蔑视封建礼教的叛逆情绪对不上号，因此认为贾仲明的说法比较符合《西厢记》作者的实际。再说，比《词林白雪》早出的《雍熙乐府》也选录了这套曲，但没有署王实甫的名字。这套曲子是否王作，也是值得怀疑的。至于有人根据元苏天爵1337年为元曲名臣王结写的行状里，有“父德信，治县有声，擢拜陕西行台监察御史”的话，认为王实甫就是王结的父亲，更不可信。从苏氏行状看，王结父1337年尚在世，而钟嗣成在1330年写《录鬼簿》，已称王实甫为“前辈已死名公才人”。这两个王德信不可能是一个人。

第四，源流问题。把《西厢记》剧的故事放在中国文学史的长河里来考察，可说是源远流长。从源来说，它可追溯到卓文君、司马相如的《凤求凰》，更远的可以追溯到《诗经》中许多被朱熹骂为淫奔的诗。从流来看，影响到今天各种地方戏曲、小说、说唱等，甚至影响到外国文学。元明以来有人称《西厢记》为《小春秋》或《崔氏春秋》，其实它在人民群众中的影响比孔子的《春秋》或左丘明的《左氏春秋》要大得多。《西厢记》比较近的来源是元稹的《莺莺传》，写的主要是他自己婚前的恋爱生活。北宋末年的学者王性之对此已做了考证，基本符合实际。我在考证《西厢记》的来源时，根据两种新材料，做了些补充：

（一）元稹在《酬翰林白学士代书一百韵》诗中“光阴听话移”句下自注道：“乐天每与予游从，无不书名屋壁，又尝于新昌宅，说《一枝花话》，自寅至巳，犹未毕词也。”“新昌宅”指白居易在长安的住宅。《一枝花话》指唐人小说《李娃娃》的话本。“自寅至巳”大约是六小时。这样长的时间，故事还未听完，可见元、白对民间说唱的爱好，亦可见当时士大夫爱好民间文学的风气。元稹《莺莺传》写莺莺的形象这样动人，和他受民间通俗说唱的影响是分不开的。

（二）苏轼的词中，有四处用了《莺莺传》的故事：1.“诗人老去莺莺在。”（《赠张子野》诗）2.“美人依约在西厢。”（〔南柯子〕词）3.“为郎憔悴却羞郎。”（〔定风波〕词）4.“吹笙北岭，待月西厢。”（〔雨中花慢〕词）由此可见，苏轼是很熟悉《莺莺传》的。苏轼门下的诗人秦观、毛滂、赵令畤也都用过北宋的词调来歌唱莺莺。特别是赵令畤，用十二首的〔商调·蝶恋花〕来歌唱莺莺的故事，并对张生“始乱终弃”的结局表示不满。从这些材料来看，苏轼派作家对《莺莺传》的传播和改造起了重要作用。金代董解元的《西厢记诸宫调》对《莺莺传》结尾的改造，可能也受到他们的影响。

源流方面还未解决的问题，是从晚唐到宋初，还未找到确切的材料，说明《莺莺传》在当时流传的情况。至于支流、分流，没有解决的问题就更多，初步估计有以下三方面的问题。

（一）改编本的问题。《西厢记》流行后，出现了许多改编本，各本妍媸不一，南戏有李日华、陆天池两种改编本。李本基本保持王西厢的面貌，从明末以来的昆剧演出大都用李本。后来京剧、梆子等剧种也都有改编本。田汉同志改编的京剧《西厢记》，在结尾处写莺莺与张生双双出走，也是改得较好的。如果我们能将这些改编本都研究过，集中各本的长处，写出一个新的、适合今天舞台演出的本子，那将是很有意义的工作。

（二）续改本的问题。王实甫的《西厢记》出现后，有的人认为它是伤风败俗之作，甚至诅咒他子孙好几代都是哑巴。还有人认为王实甫不应该改变《莺莺传》的悲剧结局，因而出现了不少歪曲王实甫原意的续改本。如明末卓人月的《新西厢》，依照《莺莺传》的原型，写张生“始乱终弃”“善于补过”。又如周公鲁的《锦西厢》，沈谦的《美唐风》，都反对崔、张的自愿结合，以莺莺与郑恒结合终场。拿这些续改本与王西厢比较，可以看出古典文学领域两种思想倾向的斗争：一种是维护封建家长的统治，另一种是歌颂封建家庭的叛逆者。

（三）受《西厢记》影响的新作的问题。这些新作通常有两种情况。一种是模仿《西厢记》剧的格局，改换了剧中人的姓名，如把崔莺莺改成董秀英、樊素，红娘改成梅香、小蛮等。白朴的《东墙记》，郑德辉的《㑳梅香》就是如此。这些东施效颦的作品，成就不能与《西厢记》相比。另一种是在《西厢记》的思想影响下另辟新路的作品，有的相当成功，如《牡丹亭》《红楼梦》。从杜丽娘倾慕崔、张，贾宝玉、林黛玉称誉《西厢记》，都可见这些爱情作品是受了《西厢记》的影响的。可贵的是，它们并不是模仿《西厢记》的格局，而是继承剧中的反封建精神，根据各自时代的不同要求，发挥创造性，另辟路径，因而在各自的时代里，取得与《西厢记》同样辉煌的地位。

第五，评价问题。解放后学者对《西厢记》的评价，基本是肯定的。20世纪50年代中期讨论《中国文学史大纲》时，有人认为王实甫的成就不如关汉卿，不必专章论述，但最后还是肯定的意见占了上风。当时主要肯定崔莺莺的叛逆性格，肯定剧作提出的“愿普天下有情的都成了眷属”的口号，具有反封建的意义。我在1955年写的《从〈莺莺传〉到〈西厢记〉》一文中，曾对自己从30年代到50年代的研究心得做过小结：

> 自从王实甫的《西厢记》杂剧出世之后，到现在又过了六百多年。当时王实甫的《西厢记》杂剧首先演出的大都，今天已成为人民的首都。这一部曾经为古今无数热爱自由的青年男女所爱好的戏曲，也只有在这人民的时代，才被一致承认为古典文学里的伟大著作。张生、莺莺、红娘，这些在封建时代为无数优秀艺人所共同塑造的典型人物，在人民政府正确的戏曲改革方针指导下，重新以极其光辉的形象出现于新中国广大人民的面前。

我接受了“五四”以来反封建的思潮和继承了我国平民文学的传统，结合新的历史时期的要求，对它的杰出成就做了概括。今天看来，基本上是正确的，但还存在着两个重要问题：第一，《西厢记》是爱情戏，而我却对爱情在人类生活中的地位缺乏认识。爱情，恩格斯的著作中称为“性爱”。从男女两性的关系来说，我认为这是比“爱情”更为准确的提法。过去封建道学先生将这个问题神秘化，似乎是提不得的，而小市民则片面追求黄色、庸俗的东西。这两种看法都是不对的。但究竟怎样看才正确，我自己也不清楚。这样，我当时对《西厢记》的评价就仍流于表面。其次，我还没有将文艺作品放在一定历史的生产力和生产关系的变化中来考察。文艺作品是意识形态的东西，归根到底要受经济基础的制约。要对爱情作品做出科学的评价，就要联系当时的生产力、生产关系的变化，看这部作品的思想是否反映了那个时代进步的倾向，对当时的生产发展是否起着积极作用。这样，才能使自己的论点建立在历史唯物主义的基础上。

这两个问题的解决是在“文化大革命”以后。“文化大革命”时，我因讲授过《西厢记》《牡丹亭》而受到严厉的批判。我对当时的批判是不大服气的，但要怎样讲才符合马列主义的原则呢？我心中也没有底。于是我下定决心读一点儿马列主义的经典著作，特别是认真读了恩格斯的《家庭、私有制和国家的起源》一文，联系《西厢记》和其他爱情作品深入思考。这样，我才写出了《从〈凤求凰〉到〈西厢记〉》这篇文章。这是我在“文化大革命”中试图用马列主义观点研究《西厢记》等爱情文学作品的总结。文章第八页有一段话，谈到人类进入文明社会之后的两性关系，由于受生产力和生产关系的制约，采取了一夫一妻制的形式，但又由于男女地位的不平等，卖淫和通奸成为这种婚姻关系的补充形式。这是从生产力和生产关系的角度来分析性爱，在“文化大革命”前我是不可能这样写的。文中还谈到卓文君、司马相如的喜剧故事怎样演变为《莺莺传》这个悲剧故事，《莺莺传》的悲剧故事又怎样演变为《西厢记》的喜剧。同一个反映青年男女爱情的故事，先由喜剧演变为悲剧，又由悲剧演变为喜剧，转了一整圈，但它不是回到原来的起点，而是螺旋形地上升了。这螺旋形的上升，从历史内容看，不再是反映新兴封建地主阶级和没落奴隶主阶级的矛盾，而是反映新兴市民阶级和开始走下坡路的封建地主阶级的矛盾。从艺术成就看，故事内容更加丰富，人物形象更加鲜明，大大超越了《凤求凰》和《莺莺传》的艺术成就。

四、个人的两点感想

第一，我在青少年时期对《西厢记》等作品的爱好，以及“五四”时期新思潮的影响，使我有可能从封建家庭的壁垒里突破缺口，走上争取自由民主的道路。这一点我将永远不会忘记。我也永远感谢帮助我走上这条道路的一些亲人和朋友。当然，这期间不但给自己也给别人带来不少痛苦。我的《西厢五剧注》出版后，有人嘲讽说：“不读六经谈五剧，《西厢》浪子是前身。”在旧社会，凡是研究《西厢记》《红楼梦》的人，往往被看作浪子。但我从来不后悔，也无怨恨。因为通过研究这些书，多少帮助我摆脱封建大家庭的束缚，走上自由民主的道路。

第二，解放后，我继续研究《西厢记》及其他古代爱情作品，同时学习马列主义、毛泽东著作，欣赏了舞台上、银幕上一些新的戏曲和电影，还阅读了部分外国文学作品，才有可能从历史唯物主义的高度，重新认识从《凤求凰》到《西厢记》等古代爱情作品，部分地回答了前人所不能回答的问题；同时，我的精神世界也从一个民主爱国人士向工人阶级知识分子转化。这条道路是更艰苦的，挫折也不少。我曾因在政治学习时引了明人的两句话“少年得闺房之乐，中年得友朋之欢”而屡受批判。“文化大革命”时我更因讲授《西厢记》等爱情作品而受到严重冲击。这期间给自己和亲人带来很多痛苦，但我也不后悔。因为解放后我有机会接受党的教育，有机会学习马列主义、毛泽东著作，这不是倒退，而是前进了。

最后，让我引恩格斯在《卡尔·马克思〈政治经济学批判〉》中的一段话，作为我们今后研究工作的方向和方法：

即使只是在一个单独的历史实例上发展唯物主义的观点，也是一项要求多年冷静钻研的科学工作，因为很明显，在这里只说空话是无济于事的，只有靠大量的、批判地审查过的、充分掌握了的历史资料，才能解决这样的任务。

（原载《古代戏曲论丛》1983年7月）

明万历玩虎轩刻《北西厢》

关汉卿评传

宋太祖鉴于唐五代以来武人的跋扈，一意注重文治，立诫告子孙，不杀文士，又说宰相须用读书人，所以文人在社会上的地位，以宋代为最优。金人崛起松漠，起初虽也专凭武力扩张国势，但到太宗天会元年，即已设科取士。此后历代承袭，朝廷有会试，地方有府试，读书人依然可以从科第进身。蒙古初定中原，虽曾因耶律楚材的奏请，恢复科举；但因为蒙古、色目人的反对，举行了一次便停止，直到仁宗延祐元年，才重行开科取士。中原士族在这漫长的八十年间，有的学刀笔做吏胥，有的改业做工匠，有的在替蒙古人做仆役。（语本《元史·选举志·王鹗等请行选举法疏》）更不幸的是左手提着灰罐，右手拿着竹枝，在闹市里或有钱人的门口画字行乞，有点近乎现在的告地状。（略见《破窑记》《金凤钗》等剧）。“儒人颠倒不如人”（见《秋胡戏妻》《荐福碑》等剧），是当时对于他们的嘲笑。八娼九儒十丐，是社会对于他们的评品，我国读书人的地位，从宋到元可说是转了一百八十度。

但也正因为这样，使当时一部分无可奈何的读书人，从向来他们所认为可以傲视一切的小书房里跑出来，混入了勾栏、茶馆，和那些说书的、卖唱的、演戏的，整天混在一淘。偶然也以孤老（宋元时娼妓对她老相好称谓）的身份，粉墨登场，空下来则替那些妓女们写些小曲、改点剧本，或是自己动手来编一个戏。而由于他们对于当时那以勾栏娼妓为中心的下层社会混得烂熟了，常能如实地写出那些社会里人们的甜酸苦辣。使当时无数观众，后世无数读者为之震惊感动，不能自已，这便是有元一代杂剧，所以独擅胜场的主因。

当时称那些替妓女写杂剧的士子为才人。才人们切磋技艺，编印剧本的地方，称作书会。在有元一代的书会才人里，关汉卿可说是最杰出的一位作家。

元人关于汉卿的记载，有下面的三节：

关汉卿，大都人，太医院尹，号已斋叟。（钟嗣成：《录鬼簿》）

我皇元初并海宇，而金之遗民，若杜散人、白兰谷、关已斋辈，皆不屑仕进，乃嘲风弄月，留连光景，庸俗易之，用世者嗤之，三君之心，固难识也。（朱经：《青楼集序》）

大名王和卿，滑稽佻达，传播四方。中统初，燕市有一蝴蝶，其大异常。王赋〔醉中天〕小令云："挣破庄周梦，两翅驾东风。三百处名园，一采一个空。难道风流种，唬杀寻芳蜜蜂。轻轻的飞动，卖花人搧过桥东。"由是其名益著。时有关汉卿者，亦高才风流人也。王常以讥谑加之。关虽极意还答，终不能胜。王忽坐逝，而鼻垂双涕尺余，人皆叹骇。关来吊唁，询其由。或对云："此释家所谓坐化也。"复问鼻悬何物，又对云："此玉箸也。"关云："我道你不识，不是玉箸，是嗓。"或发一笑。或戏关云："你被王和卿轻侮半世，死后方才还得一筹。"凡六畜劳伤，则鼻中常流脓水，谓之嗓病，又爱讦人之短者，亦谓之嗓，故云尔。（陶九成：《辍耕录》）。

此外尚有二节值得注意的文字，也是出于元人的：

开国遗音《乐府》传，白翎飞上十三弦，大金优谏关卿在，

《伊尹扶汤》进剧编。（杨廉夫：《元宫词》）

《鬼董》五卷得之毘陵杨道芳家。此衹钞本，后有小序，零落不能评。其可考者，云太学生沈，又云孝光时人，而关解元之所传也。（钱孚：《〈鬼董〉跋》）

辞章家为句律韵度所限，任意割裂古人姓名，如称司马长卿作马卿，诸葛亮作葛亮，那是常有的事。而金元两朝有名的戏曲家里，除了汉卿，也找不出第二个姓关的。杨廉夫《宫词》里的“关卿”我想绝不会是汉卿以外的另一作者。至《伊尹扶汤》这戏，《录鬼簿》在汉卿名下虽没有著录，但就《录鬼簿》著录各家杂剧，颇多遗漏这一点来看，是并不足以构成有力的反证的。明代《尧山堂外纪》的作者蒋仲舒，大约也有见于此，再根据朱经的序文，钱孚的跋语，便替关汉卿写成这样一篇短传：

关汉卿，号已斋叟，大都人。金末为太医院尹，金亡不仕。好谈妖鬼，所著有《鬼董》。

近人王国维又根据上列几种文字，对于关汉卿的时代，做了一个推断：

> 汉卿时代，世无定说。杨廉夫《元宫词》云云，是以汉卿为金人也。《录鬼簿》但纪汉卿为太医院尹，而明蒋仲舒《尧山堂外纪》则云："金末为太医院尹，金亡不仕。"蒋氏之言，不知有据否？据陶九成《辍耕录》，则汉卿入元，至中统初尚存。而自金亡至中统元年，凡廿有六年，则金亡时汉卿尚少壮也。又《鬼董》一书，末有元泰定丙寅临安钱有孚跋云："关解元之所传。"世皆以解元为即汉卿。《尧山堂外纪》遂以此书为汉卿所撰。钱少詹补《元史·艺文志》仍之，案蒙古灭金后，惟太宗九年一行科举，后废而不举七十又八年。是汉卿得解，当在金世。至中统之初，固已垂垂老矣。由是言之，汉卿所撰杂剧，当出于金元兴至元中统廿三年之间。（王国维：《关汉卿〈关张双赴西蜀梦〉杂剧叙录》）

杨廉夫的《宫词》粗粗看去，好像是元太宗灭金时，关汉卿还没有死，进了本《伊尹扶汤》的戏来庆贺。其实这首诗里所谓"开国"应该是如朱经说的"皇元初并海宇"的时候，因为这诗的第二句"白翎飞上十三弦"，据廉夫《白翎鹊辞序》，即是元世祖时的乐曲。（原文云："按国史脱必禅曰：'世皇畋于林柳，闻妇哭甚哀。明日白翎飞集斡朵上，其声类哭妇，上感之，因令侍臣制《白翎鹊辞》。'"）至廉夫所以称他为"大金优谏"，不过因为他原来是北方的金人，仅仅是一种地理上种族的区别，说他不是蒙古色目人，也不是南方的宋人而已。而蒋仲舒却拿《春秋》的笔法来看廉夫的诗，以为在金亡以后，廉夫仍称他"大金优谏"，可见他定是一个为金朝守节的遗民了。（《尧山堂外纪》又记关汉卿尝见一从嫁媵婢，作小令云："鬓鸦脸霞"云云。按此周德清〔朝天子曲〕，见《太平乐府》卷四，明人著作不可信，每如此。）

《高斋漫录》有"文潞公尝戏云：'某平生做官，赶家仆不上，方为从官时，家仆已称仆射，比为宰相，渠先为司徒矣。'近年贵人仆隶，以仆射司徒为卑小，则称保义，又或称大夫也。"宋元时社会上各色人物的称谓，是最随便，也最特别的，不但仆隶可以称仆射司徒，甚至强盗可以称太仆。（见《李逵负荆》及《赵礼让肥》剧）轿夫可以称太保。（见《全像古今小说新桥市篇》，这当是南宋人的话本。）至于读书人称秀才、解元，医生称太医、衙推、大夫、郎中，更是各种通俗小说里所常见的，金元的太医院，据《金史》《元史》"百官志"，只有提点、院使、判官等职，根本没有院尹的名称。就这一点来看，不但王国维根据钱孚《〈鬼董〉跋》推定汉卿曾在金朝得解，为迂腐可笑，（跋中关解元是否即关汉卿，也成问题。）即《录鬼簿》称汉卿为太医院尹，怕实际上也只是个“儒变医，菜变蔬”的卖菜郎中而已。（汉卿《窦娥冤》剧里的草药郎中赛庐医，人们也称他太医的。）因为根据朱经的《〈青楼集〉序》，汉卿在元朝既不曾做官，而就他的年龄来推算，他在金亡时，更根本没到可以做官的年龄。

汉卿生年，据我们推测，在宋理宗宝庆前后，《录鬼簿》在前辈名公才人有所编传奇行于世者，首列汉卿，（明宁献王说他“初为杂剧之始”，大概都是根据这一点说的。）汉卿的下面便是白仁甫，（据天一阁明钞本《录鬼簿》）而仁甫金亡时才只八岁，又元刊本汉卿《诈妮子调风月》杂剧第二折〔五煞〕曲：“你又不是残花酝酿蜂儿蜜，细雨调和燕子泥。”残花二句，是胡紫山《阳春曲》里的句子，见《太平乐府》卷四。紫山名祇遹，传见《元史》卷一百七十，说他卒于至元卅年，年六十七。那么他的生年是在宝庆三年，较仁甫尚少一岁。汉卿剧中既引及紫山的曲文，那么他的年龄必不会比紫山大得多。即算比仁甫大五岁比紫山大六岁，生于宝庆前四年的话，那么下至大德元年，汉卿已是七十八岁的老头子了。因为《阳春白雪》载有汉卿的《大德歌》十首，末首云：“吹一个，弹一个，唱新行大德歌。”近人胡适之、顾羡季等据此推断他的卒年，当在元成宗改元大德以后。（胡作见天津《益世报·读书周刊》第40期，顾作见第75期，此据隋树森转述，原文作者未见。）汉卿本号已斋，《录鬼簿》说他号已斋叟，当是晚年的称谓，大约他的寿数是不会短的。又金主亮改称汴都为南京，到元世祖至元二十五年，才改称汴梁府，今传汉卿杂剧如《救风尘》《绯衣梦》，已称汴都作“汴梁”或“汴梁府”。可见它实出于至元二十五年以后，王国维说：“汉卿所撰杂剧当出于金元兴，至元中统二三十年之间。”我们也是不能同意的。

元剧四大家，除了白仁甫因出身世家，不见得是书会才人外，马东篱曾经加入贞元书会，和李时中、花李郎、红字李二合编《黄粱梦》杂剧。郑德辉则被伶伦辈称作郑老先生的。（并见《录鬼簿》）这些话都足以说明他们曾经一度是书会才人。而关汉卿，就其作剧之多，得名之盛，更可能是终生在书会勾栏里混过去的。下面一套散曲，便是他最好的自白：

〔南吕·一枝花〕攀出墙朵朵花，折临路枝枝柳。花攀红蕊嫩，柳折翠条柔。浪子风流，凭着我折柳攀花手，直煞（“煞”《雍熙乐府》作“熬”，当从。）得花残柳败休，半生来弄柳攀花，一世里眠花卧柳。

〔梁州第七〕我是个普天下郎君领袖，盖世界浪子班头。愿朱颜不改常依旧。花中消遣，酒内忘忧；分茶攧竹，打马藏阄；通五音六律滑熟，甚闲愁到我心头。伴的是银筝女银台前理银筝笑依银屏，伴的是玉天仙携玉手并玉肩同登玉楼，伴的是金钗客歌金缕捧金樽满泛金瓯。你道我老也，暂休。占排场风月功名首，更玲珑又剔透。我是个锦阵花营都帅头，曾玩府游州。

〔隔尾〕子弟每是个茅草岗沙土窝初生的兔羔儿乍向围场上走；我是个经笼罩受索网苍翎毛老野鸡蹅踏的阵马儿熟。经了些窝弓冷箭镴（“镴”《北词广正谱》作“铁”。）枪头，不曾落人后。恰不道人到中年万事休，我怎肯虚度了春秋。

〔黄钟煞〕我是个蒸不烂煮不熟捶不匾炒不爆响珰珰一粒铜豌豆。恁子弟每谁教你钻入他锄不断斫不下解不开顿不脱慢腾腾千层锦套头。我玩的是梁园月，饮的是东京酒，赏的是洛阳花，攀的是章台柳。我也会围棋、会蹴踘、会打围、会插科、会歌舞、会吹弹、会咽作、会吟诗、会双陆。你便是落了我牙、歪了我嘴、瘸了我腿、折了我手，天赐与我这几般儿歹症候，尚兀自不肯休。则除是阎王亲自唤，神鬼自来勾，三魂归地府，七魄丧冥幽，天哪，那其间才不向烟花路儿上走。

——关汉卿：《不伏老》〔见《青楼韵语广集》〕

元剧《百花亭》第二折，那风流王焕自称是“水晶毬、铜豌豆，红裙中插手，锦被里舒头”。《阳春白雪后集》卷二石子章〔八声甘州〕套也有“外头花木瓜，里面铁豌豆”的句子。铁豌豆、铜豌豆并是当时勾栏里对于那些一点熬不出油水来的老狎客的切口。汉卿在上引曲文里自称是“蒸不烂、煮不熟、椎不匾、炒不爆的铜豌豆”，其对于勾栏里门槛之精，生活之熟，和各种杂艺之擅长，这也是构成他一个杰出的杂剧作者，即当时所谓书会才人的主要条件。而现传汉卿杂剧里以娼妓为主角的几种，如《救风尘》《金线池》《谢天香》等，写来异常逼真，更足以证明我上面的说法。

臧晋叔《元曲选序》：“关汉卿辈争挟长技自见，至躬践排场，面傅粉墨，以为我家生活，偶倡优而不辞。”这说明汉卿不仅是作家，同时还是演员。金元杂剧里称那些时常跟妓女混在一淘的子弟，叫“妆孤”，孤即孤老，他一方面是妓女的相好，一方面是杂剧里扮演官人的角色，因为杂剧里的孤色，往往便是那里的孤老妆的。赵子昂论曲："良家子弟所扮杂剧，谓之行家生活，娼优所扮，谓之戾家把戏，盖以杂剧出于鸿儒硕士，骚人墨客所作，皆良家也。彼娼优岂能辨此，故关汉卿以为：'非是他当行本事，我家生活，他不过为奴隶之役，供笑献勤，以奉我辈耳，子弟所扮，是我一家风月。'虽复戏言，甚合于理。"汉卿所说的子弟，在元人杂剧里，正是狎客的通称，我们细玩这一段话的语意，可能他更是一位当行的导演。

汉卿的朋友，除王和卿外，更有杨显之，梁进之，费君祥三位杂剧作家，都见于《录鬼簿》。他在蒙古灭宋之后，曾到过杭州，《太平乐府》里载有他〔南吕·一枝花〕《杭州景》的散曲，汴梁大都各曾住过相当长的时间，而这些地方在当时正是中国戏剧活动的中心。

汉卿所作杂剧，《录鬼簿》共载五十八种，王国维《曲录》共载六十二种，现传的有下面的十六种：

温太真玉镜台	钱大尹智宠谢天香
赵盼儿风月救风尘	包待制三勘蝴蝶梦
包待制智斩鲁斋郎	杜蕊娘智赏金线池

感天动地窦娥冤　　　　望江亭中秋切鲙

以上八种见《元曲选》。

关张双赴西蜀梦　　　　闺怨佳人拜月亭

关大王单刀会（此种也见《孤本元明杂剧》，曲白较备）

诈妮子调风月

以上四种见元刊《古今杂剧》。

山神庙裴度还带　　　　邓夫人苦痛哭存孝

状元堂陈母教子

以上三种见《孤本元明杂剧》。

钱大尹智勘绯衣梦

以上一种见《元人杂剧全集》及《世界文库》（原系顾曲斋本）。

此外《西厢记》第五本，以前有人认为汉卿的作品，我们觉得仍以认为王实甫作为较妥，又《孤本元明杂剧》里有《刘夫人庆赏五侯宴》一种，也是图书目认为汉卿作，近人严敦易也考证他不会是的（严作见上海《中央日报》〈俗文学〉第58期）。所以上文都没有列入。至汉卿散曲，散见元明各种选本的，近人任中敏的《元四家散曲》里，共收集了小令四十一首，套数十一套。

周德清在所著《中原音韵》里说："关郑白马一新制作；韵共守自然之音，字能通天下之语，字畅语俊，韵促音调。"又说："诸公已矣，后学莫及。"贯云石在《阳春白雪》序里说："关汉卿……造语妖娆，适如少美临怀，使人不忍对殢。"这都可见元人对于汉卿作品的评价，可是到了明宁献王的《太和正音谱》，列东篱为第一，而批评汉卿说："观其词语，乃可上可下之才，盖所以取者，开为杂剧之始，故卓以前列。"而何良俊《四友斋丛说》第十六类《词曲》反以德辉为第一，而批评汉卿："激厉而少蕴藉"，这是因为明人论曲，渐重绮丽一派，对于汉卿的本色当行之处，自然不能领会了。（王世贞以《西厢》第五本为汉卿作，最看中第一折〔挂金索〕："裙染榴花，睡损胭脂皱；纽结丁香，淹过芙蓉扣，线脱珍珠，泪湿香罗袖；杨柳眉颦，人比黄花瘦。"几句，这些地方，最足以见出明人的风气。）

明人在北曲里最看重《西厢记》，便因为这个戏是比较合乎他们的胃口，到了嘉隆以后，王骥德、徐士范等，继承世贞之说，一致认《西厢记》为王作关续，金圣叹更把《西厢》续本譬作下截美人，指摘得体无完肤。（痛诋汉卿续《西厢》，始于明徐复祚，圣叹盖承其说而变本加厉）汉卿的声价一落千丈，不但不能方驾马、郑，更远在实甫之下。直到王国维的《宋元戏曲史》，才重给他很高的评价，说他是："一空倚傍，自铸伟词，而其言曲尽人情，字字本色，故当选为元人第一。"

对于元剧里几个重要的作者，我们不愿再像过去的一些学者们，各就个人的胃口，选择其中的一位来挂头牌。但他们在作风上之各有独到的地方，则是我们所必需认识清楚的。我觉得第一，关汉卿在戏曲里是最少替他自己说话的。他没有像马东篱在《荐福碑》，郑德辉在《王粲登楼》里那样发他落拓不遇的牢骚，也没有像白仁甫在《梧桐雨》里那样寄他家国兴亡的感慨，这因为他在四大家里是士大夫气质带得最少的一个。（如果我们勉强要在他的作品里发现他自己的话，那只有在《玉镜台》《谢天香》《金线池》等戏中人里，似乎依稀仿佛可以看到一个老狎客向妓女调笑的影子。）但也正因为这样，他在戏里能够更多地顾到观众，顾到演出的效果。像《汉宫秋》《梧桐雨》的结束处那一大段缠绵悱恻的曲子，我们在书房里低回吟味，诚不胜情移神往，但在演出的效果上是绝赶不上汉卿在《玉镜台》《金线池》第四折那样把剧中女主角一步逼紧一步，逼得她几乎无路可走，为更能抓紧观众的情绪。第二，关汉卿在戏曲里是最少利用过去一般文人的辞藻和手法的。因此有人称赞他的白描和本色，但他并非不用典，不讲修辞，而恰是熟练地运用那些士大夫们所不屑用，也不会用的方言、成语和俗典。他的曲文，有时简直同说话一样明白晓畅，而在说白里更能充分利用当时下流社会种种尖酸刻毒、打趼卖俏的话，来构成一个泼辣生动的场面，这在《救风尘》《望江亭》两个剧本里最可以见到。第三他是最不善于利用想象，来填补剧中的一些空隙的，因此在剧情发展纠葛之中，他能够写得非常真切动人，而当剧中主角独白独唱的时候，他便很少办法处理得好。像马致远《汉宫秋》剧里的元帝、《荐福碑》剧里的张镐，借那孤雁、龙神来发一番牢骚愤慨，这种无中生有的文章，汉卿便不大会写，即写也不大像样的。我们看他在《玉镜台》第一折温峤上场时，连唱七曲，只把那古今得志不得志的人，敷衍一番，便觉得窘态毕露，而像《绯衣梦》《陈母教子》二剧，当剧情快近结束时，由于无可生发，也不免草草终场。（像《谢天香》第三折，借天香和女伴们掷骰子，生发关目，在汉卿剧中是稀有的例外。）第四，关汉卿在所有过去中国戏曲家中是最善于实写当时的社会相的，而对于下层社会各种人物的性格和心理状态，尤其写得逼真。这是汉卿最大的一手本领，我们如要在中国古今无数曲家中，选出一个下层社会的代言人，无疑的，汉卿是比较恰当的一个。他在《窦娥冤》《诈妮子调风月》《谢天香》《救风尘》《金线池》等剧本里，尽情替那些寡妇、侍妾、妓女们倾诉她们的不平。这些地方，明清以来，虽曾被那些看惯了才子佳人戏的公子哥儿们所蔑视，到了今天，实更显其光芒万丈，使他同时一起的几位作家，也不免为之黯然失色。

但我们如因此便说他是一个热情于宣泄下层民众痛苦的作家，又未免是过情之誉。关汉卿归根到底只是一个常和娼女们混在一淘的书会才人，他为他的生活着想，在他写剧时，不能不多多注意到演出的效果，和怎样吸引更多的观众，而当时勾栏里的观众，是并不包括士大夫这一阶级的。——因为他们可借着“叫官身”这一特权，叫戏班子到府里来唱的——他为着吸引更多的下层观众，便有意无意把他所熟悉的一些下层社会人物，活生生地搬上舞台来，偶然也借剧中人倾诉他们的不平，以期引起观众的共鸣，而收到演出时更大的效果。但当他高兴时又不免拿那剧中的妓女来开玩笑，或是逼得她左右为难，以博取观众们一种不正常的快感。因为当时勾栏里的观众，男性占着绝大多数，而汉卿本身性格，从他那篇《不伏老》散套看来，是带有强烈的性虐情狂的倾向的，这种戏剧作风，配合着那向来以妓女为中心的戏剧传统，显然给中国戏曲遗留下一种不健康的影响，这是我们今天读关汉卿杂剧时，所不得不特别提出的。

卅八年三月于广州西堂

（原载香港《星岛日报》1949年8月4日、9月20日）

关汉卿和他的杂剧

一

我国文学到了宋人话本和元人杂剧出现以后，题材更广泛了，人物形象更鲜明了，作品里反封建的思想意识也更强烈了。这个时期的杰出作家，如关汉卿、王实甫、罗贯中、施耐庵等，他们的作品在中国文学史上曾放射出灿烂的光辉，为千万人民所爱好。可是他们本身的事迹，在中国过去的历史记载里，却一直是依稀仿佛，若有若无；使我们每一回翻开那些绚烂夺目的作品时，都为无法想象出这些文艺巨匠的生平与面貌而感到深深的怅惘。

今天一个中国文学研究工作者可以替一千多年前的李白、杜甫写成一本首尾完整、内容翔实的传记，可以替二千年前的屈原、司马迁写成一篇有比较正确的历史根据的评传。独独对于这些离开我们不过六七百年的伟大作者，却往往连他们的姓名、籍贯、生卒年都不容易考订。这第一是由于他们的作品主要是为一般城市平民写的，它反映了一部分人民的要求和当时历史的真实，因此这些作品在当时封建统治阶级的御用文人们看来，不但毫不足取，甚至要加以“诲淫”“诲盗”的罪名[①]，禁止它们的流传。他们的事略不但不见于正史，即同时人的诗文集里也很难找到有关的材料。其次是他们和一般以写作“诗古文辞”为主的文人有一个不同之点，即他们的作品主要在娱乐人家，而不是表现自我。杂剧、平话不用说了，即是他们流传下来的一些散曲，也往往是替勾栏里妓女写的。他们很少甚至没有想到利用这些文艺形式写下他们个人的生平事迹。第三是由于明清两代印行戏曲小说的文人或书店对于这些作家作品的不重视，常有任意删改或冒名顶替的现象发生，因此增加我们今天整理工作上的困难。

然而毕竟今天是人民的时代，一切历史上接近人民的作家都将得到我们应有的评价和重视。因此王实甫的《西厢记》能在欧洲演出，《水浒传》的作者施耐庵经过人民政府文化部的实地调查也已经得到不少珍贵的史料。人民的力量是无穷的，

① “西厢诲淫，水浒诲盗”，这是中国过去封建统治阶级对于这两部平民文学的伟大著作的“考语”。

这些历史上的杰出作家，他们的作品，既是直到今天还为人民所爱好，那么可以相信，他们的历史面貌也将必然地通过今后文学研究工作者的努力考索而逐渐明朗起来的。

二

元人钟嗣成在公元1330年左右分元代的杂剧作家为“前辈已死名公才人有所编传奇行于世者”“方今已亡名公才人余相知者”“方今才人相知者”三类，编次他们的姓名和剧目，称作《录鬼簿》。关汉卿列在《录鬼簿》里第一类的第一名，说他是“大都人，太医院尹，号已斋叟”。另外《录鬼簿》在“梁进之”名下，说他与汉卿世交。梁进之是元代散曲作家济南杜仁杰的妹婿[①]，曾任警巡院判、县尹、府判等官。汉卿既然跟他是世交，可见他的出身也一定是当时的士族。中国在北宋和宋金对峙的南宋时代，士族的子弟主要是靠科举出身。蒙古初定中原（公元1234年），虽曾因耶律楚材的奏请恢复科举；但因为蒙古人、色目人的反对，举行了一次便停止，直到元仁宗延祐元年（公元1314年），才重行开科取士。中原士

① 据孙楷第《元曲家考略续编》，载《燕京学报》第39期。

族，在这漫长的八十年间，有的学刀笔做小吏，有的替蒙古人做仆役[①]，更不幸的是左手提着灰罐，右手拿着竹枝，在有钱人的门口画字行乞[②]，有点近乎后来的“告地状”。汉卿一生有没有经过这样的生活，虽没有正面的资料可考；但从它所遗留下来的部分散曲、剧曲对于一些贫穷士子的同情看，可以推想他是难免经过当时一般士子所共同遭遇到的经历的。

中国从北宋而下，都市商业、手工业愈益发达，行会组织也更普遍了。到了忽必烈灭宋之后，这一横跨欧亚的大帝国的成立，打通了海上和陆上的东西交通孔道，使当时中国几个大都市，如北方的大都、汴梁，南方的杭州，工商业经济愈益繁荣。这些新兴都市的商人、手工业者是需要有他们自己的娱乐的。因此从北宋以来便在汴梁、杭州流行起来的瓦肆杂技[③]，尤其是说唱和杂剧，到这时是更发达了。适逢当时科举停止已久，不少读书人本来是准备“学成文武艺，货与帝王家”的，因忍受不了长期生活的压迫，不得不改变了他们的路线，和那些说书的、说唱的、演戏的倡优合作，替他们写点话本，改点

---

① 略见《元史·选举志》王鹗等请行选举法疏。

② 略见《破窑记》《金凤钗》等杂剧。

③ 《东京梦华录》记北宋汴梁杂技，有“瓦肆伎艺”条。后来宋室南渡，又在杭州都城内外招徕伎乐，创立瓦舍。

杂剧，或是自己动手来编一个戏。当时称那些替倡优们写话本、编杂剧的士子为“才人”；“才人”们研究技艺，编印话本、剧本的地方，称作“书会”。元末《录鬼簿续编》的作者贾仲明称关汉卿是“驱梨园领袖，总编修帅首，捻杂剧班头”。就汉卿在当时得名之盛和他编著杂剧之多这两点来看，毫无疑问，他是元代“书会才人”里最杰出的一位。

关汉卿的时代，由于元末杨廉夫的《元宫词》里称他作“大金优谏”，元末《青楼集序》的作者朱经称他是“金之遗民”[①]，向来都认为他是由金入元的作家。可是另外在元末天台陶九成著的《辍耕录》里，说王和卿死时，关汉卿往吊，看见他鼻下垂涕，有的人说这是“玉箸”，是佛家坐化时才有的。关汉卿说：“你们不识，这不是‘玉箸’，是嗓。”嗓是六畜痨伤时鼻中流涕的症状，关汉卿是拿这话来开他死友的玩笑的。王和卿死在公元1320年[②]，离开金亡已八十六年，即使

① 杨廉夫《元宫词》：“开国遗音乐府传，白翎飞上十三弦；大金优谏关卿在，《伊尹扶汤》进剧编。”朱经《青楼集序》：“我皇元初并海宇，而金之遗民，若杜散人、白兰谷、关已斋辈，皆不屑仕进。”杨廉夫《元宫词》所说“开国”，即朱经《青楼集序》所说“皇元初并海宇”的时候。因为根据杨廉夫《白翎鹊辞序》，所谓“白翎飞上十三弦”，正是元世祖时的乐曲。杜散人是杜仁杰，白兰谷是白仁甫，都出身金朝的士族，因此朱经称他们为“金之遗民”。

② 据孙楷第《元曲家考略续编》。

关汉卿金亡时只有十几岁，这时也已是百岁左右的人了，这自然是不大可能的。因此近来有人疑心元代有两个关汉卿，都是写杂剧的。一个由金入元，一个生在元代，而后人把他们混作一个人了[①]。可是这样巧合的事究竟不容易令人相信，在没有找到其他可靠的资料之前，这推想自然不能成立。我们现在根据关汉卿流传下来的作品推断，他的生年大约在公元1227年以后，卒年在公元1297年以后。因为汉卿所著《诈妮子调风月》杂剧第二折五煞曲："你又不是残花酝酿蜂儿蜜，细雨调和燕子泥。""残花酝酿蜂儿蜜"二句见胡紫山《阳春曲》[②]。紫山生于公元1227年，是元代著名的散曲作家。汉卿拿他的曲子当成语引用，当然是在紫山成名以后。这就是说紫山的得名应比汉卿更早。汉卿的生年一般说不应早于紫山的生年，即公元1227年。又关汉卿流传下来的散曲有《大德歌》十首。元成宗初即位时改元元贞（公元1295年），到了1297年改元大德。元贞、大德是元代戏曲最盛的时期[③]。关汉卿的《大德歌》末首说："唱新行大德歌"，可见《大德歌》的得名，正和《庆元

① 近人冯沅君有此说，见所著《古剧说汇》。

② 胡紫山，名祗遹，传见《元史》第一百七十卷。

③ 《录鬼簿续编》载贾仲明吊花李郎《水仙子》词："乐府词章性，传奇么末情，考（应是都字之误）兴在大德、元贞。"么末，即杂剧。

贞》一样，同是就元成宗的年号说的。据此推断，汉卿卒年当在公元1297年元成宗改元大德以后。元末贾仲明吊赵子祥《水仙子》词，把白仁甫、关汉卿，都看作“元贞人物”[①]。朱经《青楼集序》也把他们并看作“金之遗民”。关、白这两人的时代当相去不远。然而白仁甫金亡时还只八岁，实际上连“遗少”还够不上，后人一看到“遗民”，往往会意味着“遗老”，这就很自然地把他们的年代提早了。至于《辍耕录》说关汉卿讥笑王和卿的一段话，据寻常情理推断是不可能的。和卿死时，已七十九岁了，他第三个儿子王宏钧正官司天监，岂有在亲友来吊时尚未入殓，任人对他讥笑之理。而且《录鬼簿》成于公元1330年前后，如果汉卿死在1320年以后，钟嗣成也不应该把他列在“前辈已死名公才人”这一类里面的。

汉卿在一套题名《不伏老》的散曲里说：“我是蒸不烂，煮不熟，捶不匾，炒不爆，响珰珰一粒铜豌豆。”又说：“我也会吟诗，会篆籀；会弹丝，会品竹；我也会唱鹧鸪，舞垂手；会打围，会蹴鞠；会围棋，会双陆。”铜豌豆是当时勾栏

① 原词：“一时人物出元贞，击壤讴歌贺太平，传奇乐府时新令，锦排场起玉京。《害夫人》、《崔和担生》，白仁甫、关汉卿，《丽情集》天下流行。”

里对于那些老狎客的切口。从上引曲文里，我们可以想见汉卿对于勾栏里生活之熟，“门槛”之精，和各种杂艺之擅长，这也是构成他一个杰出的杂剧作家即贾仲明说的“捻杂剧班头”的主要条件。而现传汉卿杂剧里以倡妓为主角的几种，如《救风尘》《金线池》《谢天香》等，写来十分逼真，更足以证明这一点。

明臧晋叔《元曲选序》说关汉卿“至躬践排场，面傅粉墨，以为我家生活，偶倡优而不辞”。晋叔这话主要是根据元初赵孟頫《论曲》引关汉卿的话说的。赵孟頫说：“良家所扮杂剧，谓之行家生活；倡优所扮，谓之戾家把戏。盖以杂剧出于鸿儒、硕士、骚人、墨客所作，皆良家也，彼倡优岂能办此？故关汉卿以为‘非是他当行本事，我家生活；他不过为奴隶之役，供笑献勤，以奉我辈耳。子弟所扮，是我一家风月’。虽复戏言，甚近于理。”从赵孟頫这段话看来，当时结合在“书会”里的“才人”，跟其他行业一样，也有着行会的组织。他们不但编写杂剧，有时且与勾栏竞争，公开演出。关汉卿，从他说的“子弟所扮，是我一家风月”这些话看，更应该兼是一个职业的演员和导演。

关汉卿的朋友除梁进之外，更有杨显之、费君祥两位杂剧作家，都见于《录鬼簿》。《录鬼簿》说汉卿是太医院尹，元时虽有太医院，但没有院尹；可能他只是一个通常的医士，或者在太医院里兼过一些杂差。他家在祁州伍仁村[1]，寄居大都最久，又曾在汴梁住过[2]。蒙古灭宋之后，他曾到过杭州[3]。这三个宋元时代著名的都会是当时中国戏剧活动的中心。

关汉卿的一生可以说是封建时代的士子，在科第进身路断之后，走向与勾栏艺人结合的道路的一个典型例子。由于走向这条道路，使他在生活上和当时许多沉沦在苦海里的妇女以及环绕着这群妇女的下层社会人物接近，渐渐使他从思想感情上了解他们，政治态度上同情他们；同时通过他们掌握了各种民间艺术的手法，熟悉了小市民阶层语言中的各种表现形式。这是关汉卿和他并时的几个伟大作家如王实甫、杨显之、马致远、郑德辉等在中国戏剧史上所以有这样卓越成就的主要原因。

---

① 据乾隆二十年新修本《祁州志》。祁州在今河北安国县。

② 汉卿《不伏老》散套，自称“玩的是梁园月，饮的是东京酒”，可能他曾在汴梁住过。

③ 汉卿有一套散曲咏杭州景，开头说：“普天下锦绣乡，寰海内风流地。大元朝新附国，亡宋家旧华夷。水秀山奇，一到处堪游赏。”可见他在宋亡后曾到过杭州。

三

关汉卿的杂剧，《录鬼簿》著录了五十种，近人王国维《曲录》著录了六十三种，现传的有下面十八种：

温太真玉镜台

钱大尹智宠谢天香

赵盼儿风月救风尘

包待制三勘蝴蝶梦

包待制智斩鲁斋郎

杜蕊娘智赏金线池

感天动地窦娥冤

望江亭中秋切鲙

（以上八种见《元曲选》）

关张双赴西蜀梦

闺怨佳人拜月亭

关大王单刀会

诈妮子调风月

（以上四种见元刊《古今杂剧》，内《关大王单刀会》一种也见《脉望馆本古今杂剧》，曲白较完备。）

山神庙裴度还带

邓夫人苦痛哭存孝

状元堂陈母教子

刘夫人庆赏五侯宴

钱大尹智勘绯衣梦

（以上五种见《脉望馆本古今杂剧》）

张君瑞庆团圆（即《西厢记》第五本）

上面十八种里，《张君瑞庆团圆》应该是王实甫的作品，前人认为是关汉卿的《续西厢记》，那是不可靠的。又《刘夫人庆赏五侯宴》《状元堂陈母教子》二剧并不见于《录鬼簿》，曲文宾白，在风格上和其他流传的关汉卿杂剧很少相似之处，也可断定不是关汉卿的作品。这样，比较可靠的就只有十五种。然而即就这仅传的十五种杂剧看，它内容包含的丰富和艺术创作上的造就，确是达到了空前的高度；不但使与他同时的马致远、白仁甫为之黯然失色；即明清两代的南戏传奇作者也没有人能够全面超越过他的成就的。明人韩邦奇比关汉卿作文章中的司马迁，近人王国维比他作诗歌中的白乐天[①]。司马迁作《史记》，要“藏之名山，俟后世圣人君子”。白乐天评价自己的诗，也说“身后文章合有名”。由于他们部分很自负的作品，往往得不到当时同阶级的士大夫的赏识，他们只有希望在身后的另一时代能够找到他们的知音。关汉卿从赵孟頫记录的一段话看，他的阶级本质虽然还没有完全转化，然而他所自负的只是“当行本事”“行家生活”，这就是说他的戏是合于当时这个说书编书的行会、即所谓“书会”的要求的。这个要求主要是从当时都市平民的胃口出发，这比之司马迁、白乐天的想法是更其现实的，因此他的作品比之前两个阶段古典现实主义文学的作家，是跨进了一步。这一点我们将可以从他遗留下来的几个杂剧的内容得到印证。

四

在蒙古入主中原的时候，蒙古人、色目人和汉人、南人[②]

① 参看王国维《宋元戏曲史》第十二章“元剧之文章”。

② 元时称西域归附各民族为色目人，中国北方人为汉人，南方人为南人。

之间的民族矛盾，有权有势的“权豪势要之家”和社会上广大劳动人民以及没落的封建士族之间的阶级矛盾，都达到了尖锐化的程度。这两种当时社会上的主要矛盾实际上又往往是互相纽结的。它们具体表现在元朝建立时善良人民的颠沛流离，权豪势要之家的横行霸道，官吏的贪赃枉法，有钱人的放高利贷剥削穷民等等。这种种残酷的现实，在关汉卿杂剧里是高度集中地表现出来了。

就现传关汉卿的杂剧看，大约可以分为三类。一类是历史故事剧，如《单刀会》《西蜀梦》《哭存孝》《裴度还带》等几个戏。这些戏虽然演的是历史故事，但部分地方还是反映了当时的现实的。如《哭存孝》剧里那反派人物李存信、康君立，一上场便是满口的番话，又凭着自己的懂得几句番话，假传李克用言语，把李存孝诬害死了。这多少反映了蒙古贵族入主中原时那些替他们做通译的形象的。《裴度还带》是唐人的故事，但剧中韩琼英的父亲在洛阳做官，因上司傅彬勒索他一千贯下马钱，他没有应酬他，傅彬以此怀恨，诬指他贪赃，捉他下狱。这又正是暴露元朝吏治的黑暗的。《单刀会》写的是三国故事，作者在剧本里强调了正统观念，表面看来仅仅是皇权的继承关系，可是一联系当时的现实看，仍然在一定程度上流露出民族意识。剧里鲁肃向关羽索还荆州时，关羽的回答是：“想着俺汉高皇图王创业，汉光武秉正除邪，汉献帝将董卓诛，汉皇叔把温候灭，俺哥哥合情（承）受汉家基业；则你东吴国的孙权和俺刘家却是甚枝叶？”当然，在今天我们看来，吴、蜀、魏三国都是汉族建立的国家，把《单刀会》这一类剧本里所强调的正统就解释成为鼓吹以汉族为正统的思想是缺乏充分根据的；可是在宋室南渡之后，不论是著书立说的士大夫，或是说唱故事的评话家，都隐隐以蜀汉继承汉室正统，来表示他们反抗民族压迫的立场的①。剧中当关羽最后辞别鲁肃时唱道：

我则见紫袍银带公人列，晚天凉风冷芦花谢。我心中喜悦。昏惨惨晚霞收，冷飕飕江风起，急飐飐云帆扯。承管待、承管待，多承谢、多承谢。唤梢公慢者：缆解开岸边龙，船分开波中浪，棹搅碎江心月。正欢娱有甚进退，且谈笑不分明夜。说与你两件事，先生记著：百忙里称不了老兄心，

① 朱熹《通鉴纲目》以正统归蜀汉，后来杨廉夫的《正统辩》，更直接以蜀汉比拟南宋：这是反映当时属于士大夫阶层的思想意识的。曹操在五代以前，声名远在刘备之上，而南宋以后他在评话、戏曲里竟成了反派人物的典型，和人们对于刘备的印象正好相反。这便因为在当时评话、戏曲里是隐隐以志在恢复汉室基业的蜀汉比作暂时处在民族压迫之下的汉族人民，以篡夺汉室的曹操比来自北方民族压迫的。

急切里倒不了俺汉家节。

这曲子表现那英勇地保卫汉家基业的关羽，当胜利归来时，真是江山为之增气概，风云为之变颜色。这曲子可以激起人们的丰富的联想，鼓舞了那些坚持汉节的英雄，同时也使那些丧师辱国的民族败类在强烈的对照下感到无地自容。

第二类是正面的表现当时的社会矛盾和民族矛盾的，如《窦娥冤》《鲁斋郎》《救风尘》《蝴蝶梦》《望江亭》等几个杂剧。关汉卿在这些优秀的剧作里，把当时社会上形形色色的人物，活生生地展示在我们面前。这里有嫌官小不做，嫌马瘦不骑，任意抢人妻女的鲁斋郎；有带着势剑金牌要取白士中的首级而夺他的妻子来做妾的杨衙内；有霸占孀妇为妻的张驴儿父子；有认为“人是贱虫，不打不招”的山阳太守桃杌；有打死人不偿命的“权豪势要之家”的葛彪；有“酒肉场中三十载，花星照命二十年”，一味欺骗摧残妓女的周舍。而另一方面则是被那些“权豪势要之家”逼得妻离子散，家破人亡的银匠李四；郑州六案都孔目张珪；被严刑逼供，至死不屈的窦娥；一入周舍家门便被周舍打五十杀威棒的妓女宋引章；再有假装作渔家妇，骗取杨衙内势剑金牌，救护她丈夫的谭记儿；为着结拜姊妹的义气，牺牲色相、从虎口里救出宋引章的赵盼儿。这些人物在关汉卿的杂剧里是写得那么活灵活现；他们之间的斗争、矛盾是那么尖锐；在这些矛盾、斗争里，关汉卿的态度又是那么鲜明地站在被迫害者的一面。他写当时的衙门是：

咚咚衙鼓响，公吏两边排。阎王生死殿，东岳摄魂台。

——见《蝴蝶梦》

写当时的衙役是：

手拿无情棍，怀揣（藏意）滴泪钱。晓行狼虎路，夜伴死尸眠。

——见《蝴蝶梦》

写当时的官吏是：

倚权豪贪酒色滥官员，……他那身常在柳陌眠，足不离花街串。

——见《望江亭》

他们的严刑逼供是：

罪人受十八层活地狱，公人立七十二凶神。

——见《绯衣梦》

一杖下，一道血，一层皮。打得我肉都飞，血淋漓。

——见《窦娥冤》

最后他更公然地借那《窦娥冤》杂剧替当时无数受害的人民向那些贪赃枉法的官吏提出了控诉：

这都是官吏每(即“们”字)无心正法，使百姓有口难言！

《窦娥冤》杂剧的内容直到今天还在京戏《六月雪》里演出，就因为它一面集中地表现了封建时代统治阶级的黑暗残酷，一面生动地塑造了那具有强烈的反抗精神、至死不屈的窦娥的形象。

关汉卿第三类剧作是以男女风情为主题的戏，如《谢天香》《金线池》《玉镜台》①《诈妮子调风月》《拜月亭》等几个杂剧。这几个杂剧除《玉镜台》外，主角都是旦角。她们

① 《玉镜台》虽然是根据《世说新语》的故事，但就内容看应归入儿女风情一类。

在我们面前如泣如诉地唱出了封建时代女性的不幸。这里有聪明的妓女谢天香、杜蕊娘，她们都有着自己心爱的情人，可是一个给那满面生胡的钱府尹娶去做妾，整三年有名无实，使她自叹是被“打在无底磨牢笼内”；一个给那爱钱的老鸨板障了，直到她年已三十时还不许她嫁人。由于作者对勾栏生活的熟悉，写来都非常真实动人。他一面深切同情那些被人任意玩弄的不幸少女，一面更痛恨这不合理的娼妓制度和那靠出卖这些少女的青春过活的老鸨们。他借杜蕊娘的口骂那勾栏行业是“全凭着五个字迭办金银，无过是恶、劣、乖、毒、狠”，是“佛留下四百八门衣饭，俺占着七十二位凶神”；骂那老鸨是“炕头上主烧埋的显道神”，她“拿着一串数珠是吓子弟降魔印，轮着一条拄杖是打鸂鶒无情棍”。《诈妮子调风月》杂剧写那给千户小舍人诱奸了的侍婢燕燕，那小千户引诱她时说要娶她做小夫人。哪知时过不久，就发现他已爱上另外一家的小姐。作者写燕燕当时的心情是：

出门来一脚高一脚低，自不觉鞋底儿着田地。痛怜心除他外谁根前说，气夯破（即涨破）肚别人行怎又不敢提。

这种“哑子吃黄连，有苦无处诉”的滋味，是封建社会里无数被欺骗的婢女们的共同悲哀。《玉镜台》剧写那聪明的少女刘倩英被一个老头子骗去做续弦，开始时她不肯成亲，结果还是被迫随顺了。《拜月亭》剧写那天真的少女王瑞兰，因蒙古人入侵，跟母亲逃难，路上被哨马冲散了。后来她碰见书生蒋世隆，双方爱上了，结成夫妇。哪知在客店里被她那出使归来的父亲遇见，硬逼她丢下那抱病的丈夫跟他回去。后来蒋世隆应举中了状元，瑞兰的父亲招他做女婿，见面之后才知道就是自己在客店里硬不肯把女儿嫁给他的穷书生。这是对于这个势利的岳父的尖锐讽刺，同时对于那“不顾自家（指自家儿女）嫌，只要旁人羡”的父母包办婚姻表示他的反抗。这个戏曲由于故事情节比较动人，后来被改编成南戏《幽闺记》；直到今天，它的一部分节目还在湘剧、桂剧里演出。

关汉卿的这一类戏和后来传奇里的才子佳人戏有两点主要的不同：这第一是剧中女主角对于压迫她们、欺骗她们的人物是表现一定程度的反抗性的。如《拜月亭》剧中的王瑞兰对于那逼她夫妇离散的“狠爹爹”，《诈妮子调风月》剧中的燕燕对于诱奸她的“黑心贼”，都曾发出了无情的诅咒。刘倩英对于那欺骗她成亲的老头子温太真，更简直要抓破他的面皮。这和明代从《娇红记》以下的许多戏曲，首先认定男女双方是违犯天条的金童、玉女，合该下凡受难，因而对一切迫害、魔障都采取逆来顺受的态度，是有着本质上的不同的。因为前者是从现实出发，对于当时某些不合理的社会制度，表示他的不同意；后者是歪曲现实来维持这个不合理的封建社会秩序的。第二，关汉卿是比较能够根据一定的社会地位来表现剧中主角的性格的。如那聪明伶俐的燕燕，由于她在当时社会里是个“半良半贱身躯”，她只能希望一个小夫人的名分。至刘倩英由于出身是大家小姐，她在婚姻上的要求就显然高得多。又如妓女谢天香被钱大尹娶去之后，自知是一个“风尘歌伎”，从良之后不可能再跟心爱的情人柳耆卿见面，因此在钱大尹的许多姬妾之间，连柳耆卿的名字都不敢再提。可是王瑞兰在被她父亲逼离之后，还是一直念念不忘，盼望能跟蒋世隆重聚。后来明人传奇如《金雀记》《燕子笺》等，把那些在旧社会里被打在十八层地狱之下的妓女和那些贵族士大夫家里出身的千金小姐，都写成一个瓜子脸蛋儿，爱上同样的书生；显然是由于这些人物都不是从现实生活中来的。

可是关汉卿在这一类戏里还是遗留下一些不太健康的作风的。这第一是由于他受了唐宋以来逐渐在勾栏里形成的调笑文学的影响，常不免在这些戏里故意把一个女主角弄到左右为难的地步来博取当时一部分小市民的快意。这作风在《玉镜台》《金线池》《谢天香》等杂剧里尤其表现得显著。而直到今天，我们似乎还可以从流行的一些戏曲，如《三司会审》《游龙戏凤》等戏里看到它的影响。其次是那些戏的不自然的团圆结局。像《谢天香》剧里，钱大尹为了成全柳耆卿的功名，假意把谢天香娶到家里，等柳耆卿成名后再让他们完聚。又如《诈妮子调风月》剧里当小千户结婚时，因了燕燕一番痛苦的陈诉，相公、夫人就抬举她做小千户的第二夫人。这在封建社会里是不大可能有这样“一厢情愿”的结局的。更其令人感觉不痛快的，是《玉镜台》《金线池》这两个戏的结局。《玉镜台》里女主角刘倩英本来坚决不愿意随顺那骗她成亲的老头子温太真的，汉卿在剧里捏造出了一个王府尹，设了个水墨宴，威胁她叫那老头子做丈夫。《金线池》剧里的杜蕊娘本来不愿意再跟书生韩辅臣和好，结果也是借那石府尹的官威，要当厅打她四十板子，她才勉强随顺了。

五

关汉卿是伟大的创作天才，首先表现在剧中人物的塑造上。他剧中的各色各样人物，往往一出场，一开口，就使人如见其人，如闻其声。他不但把剧中人物的面目、行动画给我们看；连他们的性格、遭遇以及他们和剧中其他人物之间的相互关系，都深刻地、生动地表现出来。如《鲁斋郎》剧写恶霸鲁斋郎和他的帮凶张龙上场时一段对白：

鲁斋郎：……自离了汴梁，来至许州，因街上骑马闲行，我见银匠铺里一个好女子。我正要看她，那马走的快，不曾得仔细看。张龙，你曾见来吗？

张龙：比及（没等到）爹有这个心，小人打听在肚里了。

这短短的几句对白便活画出主仆一双丑恶的嘴脸。后来鲁斋郎又看上了张珪的妻子，要他在明天一早送来。张珪假说东庄姑娘家有喜事，和他妻子到了鲁斋郎家里。鲁斋郎给他们夫妇酒吃，张珪心中烦恼，拼命吃酒。他妻子不知生离死别就在眼前，还怕她丈夫醉了，劝他少吃。后来张珪的心事给他妻了看穿，只得将实情告诉了她。两夫妇经过一番争论之后，知道无可奈何，这才又想起了家中一双儿女。这时张珪伤心地唱出了自己的心事：

撇下了亲夫主不须提，单是这小业种好孤凄，从今后谁照觑他饥时饭、冷时衣！

张珪回到了家里，他的一双儿女吵着要母亲，正好鲁斋郎因玩厌了银匠李四的妻子，叫张龙转送给张珪。张珪要这两个孩儿来拜见这新来的母亲，要她好好看顾他们。那银匠的妻子说：“孔目，你放心，就是我的孩儿一般看成。”这自然又使张珪想起了他们嫡亲的母亲，悲伤地唱着：

便做道忒贤达、不狠毒。看成的似玉颗神珠，终不似他娘肠肚。

这些地方，跟着剧情的发展，高度集中地表现出剧中人物的遭遇、心情，活灵活现，而又入情入理。所有这些人物的刻画，又紧紧地环绕着一个主题，就是一面充分表现出那被恶霸夺去了妻子的张珪这一家的痛苦，一面深刻暴露出那夺人妻子的恶霸鲁斋郎的罪恶。在关汉卿的杂剧里很少离开人和人的关系，离开故事的发展，离开当时的情境，空洞地概念地来写剧中人的心情的。如《单刀会》里当关羽渡江赴会时，他想起了赤壁鏖兵，想起了周瑜、黄盖一班破曹的英雄都不知何处去了，使他对着浩浩长江，很自然地发出这样的慨叹：

这也不是江水，是二十年流不尽的英雄血！

又如《窦娥冤》剧当窦娥临刑时向她婆婆唱的一段曲：

念窦娥伏侍婆婆这几年，遇时节将碗凉浆奠！你去那受刑法尸骸上烈（焚烧意）些纸钱，只当把你亡化的孩儿荐！

这是窦娥在死别生离时的痛苦心情的最恰当的表现：它反映出了这几年来婆媳两寡妇相依为命的生活，同时写出窦娥对于她那青年亡故的丈夫的深切怀念。只是在这种生活、这种心情之下，窦娥的宁死不肯嫁给张驴儿和她甘心替婆婆受罪的心情才是可以理解的。又如《金线池》剧里当韩辅臣向杜蕊娘请罪时说："大姐，你休这般恼我，你打我几下罢。"杜蕊娘唱道：

你既无情呵休想我指甲儿汤着（擦着意）你皮肉，似往常有气性打的你见骨头。

这样短短的两句曲子，生动地反映出杜蕊娘与韩辅臣由热恋至失欢的全部经历，又倾诉出杜蕊娘此时此刻从怨恨到决绝的心情。今天我们改编的旧剧或是创作的新歌剧，还夹杂着不少冗长无味的唱词，像这样高度集中地表现剧中人物性格的现实主义手法，正是我们应该向关汉卿学习的。

就剧情的发展说，关汉卿是能够掌握戏剧这一艺术的特点，即中国俗语所谓“无巧不成戏”的。这种戏剧性的巧合，虽然有时不免过分牵强，如《单刀会》剧为了迁就元剧一本四折的体制，勉强拉上乔国老、司马徽各唱一折来陪衬。又如《鲁斋郎》剧的结局把银匠李四和张珪两家夫妇子女各不相谋地在云台观里一时团聚，勉强草草终场，给人们一种“强弩之末”的印象。然而比之其他元剧作者，关汉卿在剧情的发展上是创造了更多的典型范例的。中国不少旧剧在情节上常不免公式化，往往在人们看了第一场时就可以想象得出它的全部过程和结局。关汉卿的杂剧则常能随步换形，引人入胜。虽然中间不免有偶然性的巧合，可是由于汉卿善于捕捉剧中人物的性格，掌握了这些性格在某种情势之下所必然发生的反应，使读者丝毫也不怀疑这些情节的必然性。如《拜月亭》剧当老相公要招文武状元配给瑞兰与她的义妹瑞莲时，由于老相公的重武轻文，自然要把武状元配给亲女儿瑞兰。可是瑞兰由于一度跟秀才蒋世隆热恋，对这婚姻自然不感兴趣，因此她对妹子瑞莲埋怨父亲把她嫁给一个武夫的不幸，说“少不的向我绣帏边，说的些磣可可落得的冤魂现”，而羡慕妹子过的将是一种“梦回酒醒诵诗篇”的新婚生活。这是剧情发展的第一步。可是当这一文一武的女婿进门时，才发现那文状元就是瑞兰原来的丈夫蒋世隆，在这种新的情势之下，自然只有仍把瑞兰配给蒋世隆，把瑞莲配给武状元。这是剧情发展的第二步。哪知瑞莲由于听惯姐姐埋怨武夫的许多话，对这种新的决定又表示老大的不愿意，这才逼得瑞兰对瑞莲倾诉她自己的心情是由于恋慕蒋世隆，不愿意再嫁给别人，并不是真正的鄙薄武夫。这样，虽然情节上步步转换，仍然是人物、事态发展的必然结果。又如《鲁斋郎》剧第三折，鲁斋郎因打弹子打伤了张珪的孩子，因而看见了张珪的妻子李氏，生心起意强夺了她。后来鲁斋郎因张珪诉说家中儿女没人照管，把李四的妻子作为自己的妹妹赏给了他。李四再到郑州去看张珪，张珪向他倾诉自己的不幸，介绍他与自己新来的妻子相见，这就很自然地使李四夫妇在一种新的情势之下重新会面，引起了剧情的曲折转变。这些都可以看出作者在关目的处理上确是经过一番惨淡经营的。

以唱做为主的中国戏曲，比话剧更需要一种诗的气氛来衬托出剧中人各种悲欢离合的心情。关汉卿的杂剧和其他初期的元剧作家一样，都是善于利用中国诗传统上的比兴手法，即景生情。这就使他的剧曲不但表现了现实主义的精神，同时带着浪漫主义的色彩。如《拜月亭》剧写王瑞兰母子逃难时，正好遇到一阵阵的凄风苦雨，这情景是：

分明是风雨催人辞故国，行一步又一叹息。两行愁泪脸边垂，一点雨间一行恓惶泪，一阵风对一声长吁气。

作者在这里所造成的气氛是更深沉地酝酿出剧中人离乡别土时一种凄酸的情绪的。又如《窦娥冤》剧，当窦娥临刑时对天誓愿：“要丈二白练挂在旗枪上，若是窦娥委实冤枉，刀过处头落，一腔热血休半点儿沾在地上，都飞在白练上者。”又说：“如今是三伏天道，若窦娥委实冤枉，身死之后，天降三尺瑞雪，遮掩了窦娥尸首。”窦娥的誓愿在事实上当然是不可能实现的，但它充分表现出人民对于黑暗政治的反抗意志。人民总不愿意看见善良人蒙冤而死的，因此“邹衍下狱，六月飞霜”，“周青被杀，冤血倒流”[①]，早就成了中国民间流行的故事。关汉卿更把这些情节集中表现在《窦娥冤》的法场这一折上，在剧中造成了一种强烈的反抗气氛，同时也在元人杂剧里创造出现实主义和浪漫主义结合的典型范例。

---

① 《太平御览》十四引《淮南子》：“邹衍事燕惠王尽忠，左右谮之王，王系之狱；仰天哭，夏五月，天为之下霜。”《搜神记》记东海孝妇周青临刑时，车载十丈竹竿，上悬五旛，对众誓愿说：“青若有罪当杀，愿杀，血当顺下；青若枉死，血当逆流。”这和《汉书》所载于公祭东海孝妇事，都是关汉卿《窦娥冤》杂剧本事的根据。

此外，关汉卿更和其他民间艺人一样，善于就剧中人生活上所经常接触的事物，引发他们的思想感情。如《诈妮子调风月》剧当燕燕知道她自己受了小千户的欺骗之后，回到房里，独自对着孤灯，看见飞蛾扑火，想起自己为了一个“小夫人”的虚名，上了人家的大当，正同这个扑火的飞蛾一样。又如《谢天香》剧里，当谢天香听见金笼中鹦鹉念诗时，想起自己的身世也正是“越聪明越不得出笼时”。这种继承诗比兴的传统来表现剧中人物的心情的手法，到了《白兔记》的“磨坊相会”，《琵琶记》的“糟糠自厌”，可说达到了高峰。

在语言的运用上，关汉卿一面继承从北宋以来说话人的传统，尽量提炼城市平民，尤其是以勾栏为中心的各种人物的语言，使他剧中的说白特别写得生动泼辣。这在《救风尘》《望江亭》两个杂剧里是写得更成功的。歌曲方面他继承了宋、金两代长短句、诸宫调、赚词的传统，更大胆地运用北方民间口语的词汇、句调，使人们从字里行间隐隐嗅到一股蒜酪味儿。同时他仍保留中国旧诗词里部分还有生命力的文学语言，来丰富他歌曲的色泽和韵味。我们如拿关汉卿杂剧中的歌曲、说白和比他稍早的金董解元《西厢搊弹词》、南宋无名氏《张协状元》戏文对看，他确实是跨进了一大步，而替后来中国戏曲在语言的提炼与运用上留下了一个优秀的典范的。这个典范虽为明清两代大多数士大夫阶级的传奇作者所忽视；但是通过民间艺人的代代相传，到了今天，它还一直影响着广大的民间旧艺人的创作的。

（原载《人民文学》1954年4月号）

关汉卿杂剧的人物塑造

一、关汉卿戏曲创作的典型意义

关汉卿在杂剧里塑造了当时社会上各色各样的人物形象。他们之中有为国出力的英雄，也有贪赃枉法的官吏；有横行霸道的权豪，也有趋炎附势的小人物；有热烈追求个人美满生活的男女青年，也有在精神上肉体上受尽摧残压迫的下层妇女。这些人物是如此栩栩如生地出现在我们面前，使我们不但从他们身上鲜明地看到了元代社会的画面，同时也加深了我们对于中国整个封建时代社会面貌的认识。

关汉卿生活在杂剧繁兴的元代，跟他同时的作家如王实甫、马致远、白仁甫、杨显之等各有戏曲流传下来。他们作品中的某些典型人物，同样具有不朽的价值。然而王实甫在《丽春堂》里写的金国上层官僚就远没有像《西厢记》里那些青年男女的可爱。马致远、白仁甫杂剧里的次要角色一般没有写好。他们有些戏里的主角也不是从现实生活概括出来，而是作者把本身的思想感情分配给戏里这些角色去表演。我们读马致远的《荐福碑》《陈抟高卧》，白仁甫的《梧桐雨》，与其说在看剧本，还不如说在读抒情诗。在这些带有浓厚抒情意味的戏曲里，作者在穿上古代人物的衣冠，对我们诉说他身世的悲凉，或夸耀他品格的高洁。当然，一个现实主义的戏曲家，不能不通过剧作表现他对现实的评价与爱憎，然而他主要是通过剧中人物本身在某种典型环境中可能发生的行动，使观众从这些行动的发展中自己得出结论；而不是由作者直接站出来讲话。关汉卿、王实甫的作品跟马致远、白仁甫的不同，主要表现在这些地方。

初期元剧作家在人物塑造上比较跟关汉卿接近的有杨显之、高文秀、康进之等；然而就他们流传的作品看，他们选择的题材，远没有关汉卿广泛。他们也有一两个戏写得好，在舞台艺术上有深远的影响，如杨显之的《潇湘雨》，康进之的《李逵负荆》，但远没有像关汉卿那样遗留下丰富的戏曲遗产给我们。

总之，就元代所有著名的杂剧作家看，有的对现实的挖掘没有关汉卿的深刻；有的对现实的接触面没有他的广泛；因此从人物塑造的深度与广度看，关汉卿在这个戏曲史上群峰竞秀的元代，成为当时许多戏曲家中的高峰。没有当时广大人民对戏曲的爱好，没有当时许多戏曲家的共同努力，这个高峰不可能悬空出现；而没有这个高峰，也不能体现当时许多剧作家与舞台艺人在艺术上达到的新的高度。从这一方面看，关汉卿的戏曲创作在我国戏曲史上有它的典型意义。

二、作者对现实的认识

有的剧作家喜欢写文人中状元的故事；有的喜欢写为人民打不平的英雄；有的喜欢写大家妇女的贤德；有的喜欢写下层妇女的泼辣、调皮。同一个历代流传的故事，有的把它写成喜剧，有的却把它写成悲剧。这决定于当时观众的爱好，同时决定于剧作家的本身生活与他对现实的认识。像关汉卿的《窦娥冤》，在它的前身《于公高门》里以于公一家的封官拜爵收场，而它后来的改编本《金锁记》又把窦娥在法场被处死这一场改为遇到朝廷的赦书，并没有真的被杀。剧作家对这个题材做了各种不同的处理，归根到底决定于他们本身的生活以及他们对这一题材所反映的社会现实的认识。显然那以于公一门封官拜爵收场的作者对当时上层社会中这类场面会感到更大兴趣；而《金锁记》的作者又显然没有真正认识到封建社会的极端残酷性，把一个丝毫没有罪过的妇女活活处死。我国有句成语："百货中百客。"在封建社会里，有钱有势的老爷们总是喜欢看《于公高门》《郭子仪拜寿》一类戏的。一切受压迫的人民爱好的往往是《六月雪》《潇湘雨》一类戏。尽管他们在看时"心头阵阵酸，眼中点点泪"，但看了之后却觉得心里像熨斗熨过一样地服帖。因此，一个真正对现实有认识的作家，能够把现实里带有本质意义的东西通过舞台艺术形象表现出来，他的戏是不会没人看的。

关汉卿离开我们已经六百多年，由于文献的缺乏，他当时对现实的认识怎样，我们今天只能凭他的剧作来考察。好在关汉卿的剧本写得一点不含糊，他对现实里要肯定或应批判的东西都通过剧中人物的行动或言语表现出来。他自己对现实的看法更往往跟剧中正面人物的见解相通。这是不难理解的，作家从现实里概括出来的正面人物，既代表了当时站在进步的正义的一面的人们，在这些进步的正义的人们里面必然也有着作家的一份。

关汉卿在他的几个公案戏里歌颂了"为天子分忧，为百姓除害"的贤明官吏，如包拯、窦天章等；揭露了桃杌、中牟县令等贪污糊涂的人物。他认为"官清民自安，法正天心顺"，即要求官吏的清廉，法律的公正。他还要求国戚皇亲在法律面前一律平等；而当时的吏治恰恰是历史上最黑暗的时期，那些官吏就是靠老百姓的告状来发财的。他写当时的地方官吏“押文书心情如火，写帖子勾唤如烟”，表面看起来对公事很关心，骨子里却为了“逼的人卖了银头面，我戴着金头面；送的人典了旧宅院，我住着新宅院”。一句话，是把自己的幸福建筑在人家的痛苦上面，而这正是一切剥削阶级的共同特征。

他还认识到当时的官僚机构仅仅是替有钱有势的人办事。《绯衣梦》里的主角王闰香说：“富汉入公门，私事问不问。”这是说富汉到公门里去，即使有该问的事也可以不问，因为这是他们的私事。在《蝴蝶梦》里关汉卿又通过主角王婆婆指出统治集团里面的“官官相为”。可是另一方面，这些官僚机构对当时受压迫的人民说，却是一切灾难的根源。“这个便是铁呵，怎当你官法如炉”“这都是官吏每无心正法，使百姓有口难言”，作者不仅通过王婆婆、窦娥等正面人物明白指出了这一点，他所塑造的舞台艺术形象更使人们痛恨那些破坏了人民幸福的官僚和他们所盘踞的地方政府。

在关汉卿遗留的两个历史戏《单刀会》与《哭存孝》里，作者歌颂了英勇卫国的英雄，同时指出那甘心替外来统治者做鹰犬的人物的悲惨下场。显见作者在当时复杂的民族斗争中，他的思想感情跟大多数热爱祖国的人民在一起。

作者对封建社会男女之间的不平等关系特别敏感。在《诈妮子调风月》里他指出封建社会里明明是男人引诱妇女，但事情发露时他还是理直气壮的；明明是妇女受了男人欺骗，但是她只好不明不白地忍受着满肚皮的肮脏气；在《救风尘》里他更通过坏蛋周舍的说白，揭示当时丈夫的敢于虐待妻子，是由于他们得到了国家法律的支持。

在《望江亭》里，他还认为寡妇可以改嫁，只要有真正跟她知心合意的人。这当然是从寡妇本身的幸福出发，而不是为封建家族的利益着想。

从上面事例看，关汉卿对于当时的政治社会、民族矛盾、男女关系等带有普遍意义的现实问题，都有着较为正确的认识和进步的倾向。他的进步倾向主要表现在采取积极的态度面向现实，面向斗争，而不是消极逃避或妥协。关汉卿所以能够从现实里提出种种带有根本意义的问题，通过辉煌的艺术形象表现出来，与他的这种思想倾向有不可分的关系。

然而关汉卿究竟是离开我们六百多年的人物，他虽然看到了当时封建社会存在的种种问题，但不可能认识到怎样推翻封建社会，彻底解决这些问题。因此他痛恨当时官吏的贪污残酷，却只能希望比较贤明的官府出现；他深感男女之间的不平等，同情一些青年妇女因丈夫多妻而过着孤寂不堪的生活，然而他只能希望她嫁一个年纪比她大得多而能专心爱她的丈夫。这种想法在当时还是从现实出发的，我们今天看来，却未免可笑。因为在那样混乱的历史年代，真正替老百姓办事的贤明官府不可能出现；而在允许男人多妻的封建社会，一个有钱有势的老头子也不见得就能忠实地对待比他年轻的妻子。

关汉卿在天人关系上有他自己的看法。他认为“蠢动含灵，皆有佛性”，认为“人命关天关地”，认为“人命当还报，天公不受私”，这观点当然是唯心的。然而它依然有着合理的内核，那就是对于人命的重视。这跟当时那些贪官恶霸认为“人是贱虫，不打不招”，甚至“杀了人像在房檐上揭一片瓦相似”，那是绝对不能相容的两种思想。此外作者在《窦娥冤》里还表示“人之意感应通天”，表示“皇天也肯从人愿”；这看法当然也是唯心的，然而它还是表现了人民要求改变现实的愿望，跟封建统治阶级习惯用以愚弄人民的宿命论思想有显著的区别。关汉卿塑造的某些艺术形象如法场中对天发誓的窦娥，带有浓厚的积极浪漫主义色彩，这又与他思想中这种进步因素分不开。

三、关汉卿戏曲艺术的典型化

剧作家反映现实不同于社会科学家把现实抽象化、概念化，而是通过动人的舞台艺术形象再现生活中带有根本性质与普遍意义的东西。这样，观众在接触到这些舞台艺术形象的同时，将必然联想起许多在他们生活中出现的东西。他们看到舞台上的葛彪因王老头子在路上没有避开他的马头，就动手把他打死；看到鲁斋郎接连破坏李四、张珪两家的幸福；看到杨衙内带着势剑金牌，耀武扬威，不能不联想起他们现实生活中所接触到的权豪恶霸。他们看到窦娥的无辜被杀，王婆婆三个儿子的无罪被囚，张珪、李四的骨肉离散，不能不联想起那些被迫害的善良人民。这样，他们不但在理智上加深了对现实的认识，同时也在感情上加强了对一切善良的人的同情与对一切权豪恶霸的憎恨。这实际就是通过舞台艺术形象教育人们热爱那些鼓舞人们前进的东西，厌弃那些阻碍人们向前的事物。贾仲明补《录鬼簿》王仲元吊词说："将贤愚善恶分，戏台上考试人伦。大都来一时事，搬弄出千载因，辨是非好歹清浑。"为什么在戏台上可以考试人伦，分清贤愚善恶，辨别是非好歹？这实际已经透露了舞台艺术的现实意义与教育作用。

关汉卿是我国戏曲现实主义的奠基人，他在戏曲艺术的典型化方面有他特殊的成就。

在我国长期的封建社会里，贪赃枉法的官吏总是跟地方黑暗势力勾结在一起来迫害善良的人民；而善良的中国人民也必然地跟压在他们头上的黑暗势力做斗争。《窦娥冤》杂剧就揭示了我国长期封建社会里这一带有根本性质与普遍意义的现实问题。

窦娥的悲剧是通过一连串典型形象表现出来的。那就是窦娥的父亲因借了蔡婆的高利贷还不出，把她送给蔡家做童养媳；蔡婆因讨债遇到张驴儿父子，要霸占她婆媳为妻；蔡婆把张驴儿父子带到家里要招赘他们，遇到窦娥的坚决反对；张驴儿放毒药毒死自己的老子，却借此讹诈窦娥；窦娥不受张驴儿的讹诈，被告到官里，三推六问，她都不招，到后来她怕蔡婆受刑不起，又心想官府里可能有复审的时候还可以翻案，便招了药死公公，被判处死刑；窦娥在被斩的时候，一面跟蔡婆告别，一面向天发下三桩誓愿，要四面的人都看见她的冤枉。通过这一连串舞台艺术形象，逐步把窦娥引向当时善良人民与黑暗势力的矛盾的尖端，同时生动地表现了当时典型环境中的各个典型性格：软弱的蔡婆，善良而坚强的窦娥，流氓张驴儿，贪赃枉法的山阳太守与他的帮凶等等。

为什么窦天章借了蔡婆的二十两银子过了一年就要还她四十两，还不出就要把自己七岁的女儿送给蔡婆做童养媳？为什么流氓张驴儿可以这样为非作歹，却丝毫没有受到正义的干涉？为什么像楚州太守桃杌那样的糊涂贪官，却得到提升？为什么像窦娥那样丝毫没有罪过的妇女，却受到身首异处的极刑？这在我们今天看来都是不可想象的，然而它却十分真实地反映了元朝统治时期的社会现实以及在这种社会现实里形成的各种不同的人物性格。而这也就是恩格斯所说的“典型环境中的典型性格”。

元朝最初建立政权时，规定地方政府的首长只能由蒙古人或色目人担任。这些蒙古人或色目人由于不了解地方的情况，不能不找一些当地人做他们的帮手。这就导致了大多数汉族人民受到民族与阶级的双重压迫，其结果必然是黑暗势力嚣张，善良人民遭难。窦娥的悲剧典型地反映了当时的社会现实，同时对于其他时代的封建社会有着普遍的意义，因为一切代表封建剥削阶级的地方政权，除了少数例外，一般是以勾结地方黑暗势力来共同对付善良人民为其特征的。

《鲁斋郎》是《窦娥冤》以外的另一个伟大悲剧。剧本中的反面人物鲁斋郎自称是“嫌官小不做，嫌马瘦不骑”的权豪势要人物。他每天飞鹰走犬，在街市闲行，但见人家好的玩器，便借来玩三天，人家有骏马雕鞍，便牵来骑三天。他自说这样的做法是本分的，那他不本分起来时就更可怕了。他看见许州银匠李四的妻子貌美，把她抢来。后来他在清明日出游时见了郑州六案都孔目张珪的妻子李氏，又威逼张珪在第二天一早把李氏送到他家里去。

为什么一个没有官职的鲁斋郎会有这样大的权力，可以任意抢夺人家的妻子而丝毫不怕法律的惩处？张珪做个六案都孔目，在郑州有相当势力，为什么对鲁斋郎一点不敢反抗？张珪在送妻子到鲁斋郎家中去时说："从来有日月交蚀，几曾见夫主婚妻招婿，今日个妻嫁人夫做媒。"可见这在中国封建社会里也是从来少见的。关汉卿虽然把这题材当作前代的故事来处理，最后让包龙图出来结束这件公案；然而通过作品中一连串的典型形象，它表现了元朝统治时期中国社会的特征：那就是许多驻防中国内地的蒙古人可以"衣服饮食惟所欲，童男少女惟所命"的。

此外如那"有权有势尽着使，见官见府没廉耻"的葛彪，带着势剑金牌要到潭州去摽取白士中的首级、夺他妻子谭记儿做妾的杨衙内，可以看出他们是跟鲁斋郎同一类型的人物。

所有这些作品都通过典型环境中各个典型性格的矛盾斗争，揭示当时社会现实中压在人民头上的重重黑暗势力，歌颂了跟这些黑暗势力坚决斗争的窦娥、王婆婆、谭记儿等，同时批判了蔡婆、张珪的软弱，纵容了那些坏蛋，使他们更加嚣张起来。

当窦娥被绑赴法场处死时，她甚至不肯放松最后几分钟的斗争，她呼天叫地，要四下里的人们都看见她的冤枉。这就通过窦娥这个典型形象教育人们对封建黑暗势力做至死不屈的搏斗。“法场”这出戏所以经历过千万次的演出一直受到观众的欢迎，因为它通过舞台艺术形象告诉人们：这一场斗争的胜利者不是张驴儿，不是楚州太守，相反的却是那被判处死罪的窦娥；因为她已通过这最后一次的斗争，彻底揭穿敌人的黑暗，同时感动了许多善良的中国人民支持她的正义斗争。

王婆婆在《蝴蝶梦》里表现的斗争精神同样十分动人。她为了救护三个孩子的性命，跟他们到了中牟县，又到了开封府。当开封府的包龙图要判处她儿子的死罪时，她接连扳着枷梢不放，还骂包龙图糊涂。最后必须让一个孩子去偿恶霸葛彪的性命时，她还嘱咐他在地下要跟他死去的父亲同心协力，把葛彪从望乡台上推下去。这种誓死不休的反抗精神，跟窦娥在法场里所表现的并没有两样。

另外一个人物谭记儿则是凭她的勇敢与机智，以反面人物的姿态在敌人防线的内部出现，使敌人放松了戒备，最后被全部解除了武装。

关汉卿通过这些典型形象鲜明生动地表现了中国人民对黑暗势力坚强不屈的斗争，使六百多年来千千万万的观众与读者，为这些剧中人物的战斗精神与他们取得的胜利所鼓舞，加强了人们冲破各个历史时期重重黑暗而胜利前进的勇气与信心。这是关汉卿所塑造的一连串舞台艺术形象的客观艺术效果与巨大教育意义。

另外一方面，蔡婆在张驴儿父子的威胁下屈服了，带他们回家，结果招来一连串的灾难。张珪阻止了李四对鲁斋郎的控诉，结果自己的妻子也给鲁斋郎抢去了。作者通过艺术形象说明我们对这些反面人物的斗争不能有丝毫妥协。你向他们让开一步，他将要向你逼近两步。

在长期的中国封建社会里，做父母的为了维持他家族的光荣，在婚姻上总是不顾子女的意愿，硬要替他们做主，给年青一代带来了种种痛苦。王实甫的《西厢记》是描写这类题材的现实主义巨著，关汉卿的《拜月亭》同样是这方面的杰作。

《拜月亭》中的主角王瑞兰出身金国贵族王尚书的家庭，要是在和平环境里她是难得跟青年男子接触的。恰好碰到蒙古侵入金国的中都（即现在的北京），她在逃难时意外地遇到秀才蒋世隆，一路照顾她无微不至。出于双方的自愿，他们在旅店里结合了。在偶然的机会里，王瑞兰的父亲出使回来经过旅店，他嫌蒋世隆贫穷，硬要女儿抛弃她新婚的丈夫跟他回去。谁知蒋世隆后来中了状元，王尚书奉旨招亲，招来的正好是他认为永远不能发迹的穷秀才。

王尚书逼他女儿离弃蒋世隆，比《西厢记》里的老夫人还要顽固，他最后受到的嘲笑也比老夫人更难堪。而王瑞兰跟她妹妹拜月的一场又跟《西厢记》里莺莺有意要瞒过红娘与张生通情，却被红娘窥破类似。由于作者塑造的几个典型人物十分动人，六百多年来它是仅次于《西厢记》的禁得起舞台长期考验的一个戏。

男女的不平等是封建社会的普遍现象，关汉卿塑造的许多妇女形象，生动地反映了她们的不平等地位。在《诈妮子调风月》杂剧里，小千户诱奸了聪明的婢女燕燕，不到几天，他又爱上另外一家的小姐。在我们今天，一个犯有这种流氓行为的青年将要被送去劳动教养，而燕燕在当时却只能憋着一肚子的气继续替小千户送茶送饭，甚至还要替他到人家去说亲。

作者在塑造这些典型形象时，不是消极地像照相机那样把各种社会形象摄影下来，而是以同情的态度关心被压迫者的命运，最后还通过舞台艺术形象给被压迫者指出一条斗争的道路：这就是对敌人的坚决不妥协，并选择有利的时机揭露敌人的罪恶，争取一切主持正义的人们的支持。《窦娥冤》里的窦娥不受流氓张驴儿和地方黑暗政府的威胁，被判处死刑，最后她还能够利用法场里群众围观的时候来揭露敌人。《诈妮子调风月》里的燕燕发现小千户的欺骗后，把他骗出了门外，任他再三哀求，还是置之不理。最后她选择了宾客满堂的时候揭露了小千户的欺骗行为，赢得了斗争的胜利。从关汉卿的全部杂剧看，他在对敌人斗争上一般不主张硬拼，而主张运用策略，做好准备，向敌人不及防备的弱点进攻。当《救风尘》里的赵盼儿准备到郑州去跟周舍交手的时候，当《望江亭》里的谭记儿准备到江心去跟杨衙内会面的时候，她们的敌人都是相当强大的。然而由于她们已经掌握了敌人的弱点，攻其不备，结果都取得了胜利。谭记儿在《望江亭》第二折里说："我亲身到那里，看那厮有备应无备？"意即说要攻其不备，使他无法应付。这实际上是一切弱者战胜强大敌人的战略原则，关汉卿通过舞台艺术形象把它表现出来，这就教育人们怎样面对强大的敌人，运用正确的策略战胜他们。这不仅对元朝统治时期广大被压迫的人民有现实教育意义，明清以来的观众与读者同样可以从这些剧作里得到鼓舞，从而提高他们战斗的勇气与胜利的信心。

四、典型的广度与深度

观众在面对一次动人的演出时，首先是他们的感情在跟着剧情的起伏而起伏，变化而变化。他们有时欢喜，有时愤怒，有时满腹忧愁，有时热泪满面。由于这些艺术形象曾经在他们感情上留下刻骨的铭记，当他们在现实生活里接触到或联想起跟剧中情节有联系的东西时，便像触痛了他们伤疤一样地敏感。现实主义文艺作品给人们以血淋淋的现实教训，而不是干巴巴的几条格言，因为它通过典型形象来感染读者与观众；而不像有些概念化、公式化的剧作一样，只能叫人物化装上台来念他的教条。

“开卷有益，掩卷有味”，是我国习惯用以称赞文艺读物的两句话。由于这些读物的教育作用与艺术效果是统一在作品里迷人的情节与美妙的语言上的，因此读者在掩卷之后，还像吃过橄榄似的觉得满口余香。优秀的戏剧作品同样有着这种作用。它从现实里揭示给人以血淋淋的教训，同时留给人以久久难忘的艺术印象。而一切反现实主义的剧作，粗制滥造的演出，只能叫人看了之后带着一肚子的不舒服回去。

现在我们且来看看关汉卿戏里的几个最动人的场面。

《拜月亭》里当王瑞兰跟蒋世隆在旅店结婚不久，蒋世隆在兵荒马乱中一路保护王瑞兰，结果病倒了。恰好王尚书在这时经过他们住的旅店，硬要逼王瑞兰跟他回去。这时王瑞兰一面不能违抗在当时封建社会里认为必须服从的父亲，一面又丢不下她在患难中结合、这时又正需要她照顾的蒋世隆。当蒋世隆死拉住王瑞兰的衣裳不放，王瑞兰向王尚书哀求无效时，她只得劝说蒋世隆暂时让她跟父亲回去，并表示自己对他爱情的坚贞，决不愿另嫁别人。可是这时蒋世隆对那位在病中撇下他的王小姐不能不感到失望，这就使善良的王瑞兰在她丈夫怀疑的眼光里受了满肚的委屈。她对她丈夫说："咱兀的做夫妻三个月时光，你莫不曾见您这歹浑家说个谎？"这是封建时代千千万万受损害的青年血泪凝成的语言，每一个希望过着美满幸福的生活的观众，特别是年青一代的观众，看到这里，不能不同情王瑞兰的遭遇，更不能不痛恨王尚书的顽固。这就通过舞台艺术的典型形象，给观众以血淋淋的现实教训：一切要子女屈从父母的封建道德是跟年青一代的幸福势不两立的。

作者在戏里很少对王尚书做直接的指责，然而这一场戏的客观艺术效果，比之把王尚书在观众面前揪出来打三百铁鞭还厉害得多，因为作者已经通过艺术的真实把他罪恶的灵魂在观众面前揪出来了。

这场戏从一方面看，它只能是王瑞兰、蒋世隆、王尚书等在这个场合所可能发生的，有它鲜明的个性。然而另外一面，它集中表现了当时父母一代与子女一代的矛盾，这矛盾对封建时代父子两代说有极其广泛的联系。每一个封建时代的父亲或母亲可以拿戏里的王尚书做镜子照一照自己：他是决心跟王尚书走一路呢，还是为了子女的幸福改变自己的顽固态度？每一个青年男女也都可以拿王瑞兰做镜子照一照自己：他将为着自己的幸福坚决跟顽固的父母反抗呢，还是屈从父母的意图忍心抛弃了自己的理想伴侣？

王瑞兰生长在封建教条气氛浓厚的家庭中，在她离开蒋世隆之后，尽管眼角眉尖无法掩盖内心的苦闷，但在她的义认妹子蒋瑞莲面前还不能不装得一本正经，说没丈夫怎样快活，有丈夫怎样苦恼。直到蒋瑞莲当面抓住了她的把柄，她也知道蒋瑞莲就是她丈夫的妹妹之后，这才完全撕下了假面具，亲切地安慰她的义妹子：

> 咱从今后越索着疼热，休想似在先时节；你又是我妹妹姑姑，我又是你嫂嫂姐姐；俺父母多宗派，您昆仲无枝叶；从今后休从俺爷娘家根脚排，只做俺儿夫家亲眷者。

现在我们试看《鲁斋郎》杂剧里张珪送妻子李氏到鲁斋郎家里去的一场戏。

由于鲁斋郎的凶横，一定要张珪在第二天五更时候送妻子到他家里去。懦弱的张珪不敢反抗鲁斋郎的迫害，在第二天一早就骗他妻子到鲁斋郎家里去。张珪夫妇到了鲁斋郎家之后，鲁斋郎留他夫妇吃酒。张珪憋着一肚子的苦闷，举杯狂饮。他妻子不知生离死别就在眼前，还怕他醉了，劝他少喝。他再也忍受不了这种感情上的刺激，便只得把实情告诉了她。他妻子当然不愿意，于是又引起两口子之间的一场争论。到后来他妻子也知道这场灾难的无可躲避，于是又想起家中一双小儿女无人照管。而鲁斋郎就在这时催他妻子到后堂换衣服去跟他成亲。

这场戏通过张珪夫妇一连串的舞台活动，真切地表现这一对恩爱夫妻在生离死别时的痛苦场景，使观众为他俩的不幸遭遇落下同情之泪，同时对破坏这一家幸福的鲁斋郎引起了强烈的憎恨。这就通过舞台艺术形象对现实社会中某些不合理现象进行有力的鞭挞。

这场戏从张珪带他妻子上场开始，直到被鲁斋郎赶下场止，中间一连串的艺术表演，都只能是张珪在这个场景里所可能发生的；然而另外一面，它又广泛联系着元朝统治者与中国人民的不平等关系，具有普遍的社会意义。

上面看到的几场戏，是关汉卿杂剧中极其成功的范例。它们跟《窦娥冤》的“法场”、《救风尘》的“旅店”、《单刀会》的“赴会”等场子，同样成为我国戏曲史上的典范。

关汉卿不仅在这些全剧重要关目里塑造了光辉的艺术形象，他戏曲里的某些穿插，同样十分动人。

当《望江亭》里杨衙内领张千、李稍上场时，张千在杨衙内鬓边动了一下，杨衙内问他做什么，他说在他鬓上看到了一个虱子，杨衙内着实称赞了他一番。跟着李稍也在他鬓边动了一下，杨衙内问他做什么，他说：“相公鬓上一个狗鳖。”张千是个老亲随，习惯于向主人献些小殷勤，讨他的喜欢。李稍看来是个生手，原想“依样画葫芦”，不想拍马屁拍在马蹄子上。你看这简单的几个动作，几句对白，勾勒出主仆不同的三个丑恶形象，多么准确，又多么逼真。

《窦娥冤》里窦娥在被绑赴法场以前跟她的婆婆永别时说：

婆婆，那张驴儿把毒药放在羊肚儿汤里，实指望药死了你，要霸占我为妻。不想婆婆让与他老子吃，倒把他老子药死了。我怕连累婆婆，屈招了药死公公，今日赴法场典刑。婆婆，此后遇着冬时年节，月一十五，有瀽不了的浆水饭，瀽半碗儿与我吃；烧不了的纸钱，与窦娥烧一陌儿，则是看你死的孩儿面上！

窦娥牺牲了生命，担负起一家的灾难；可是当她临死时还只能提出这最低限度的要求，连瀽给她一些瀽不了的浆水饭，烧给她一些烧不了的纸钱，还得看在她死去丈夫的面上。这些话真实而动人地表达出窦娥的心情，同时十分准确地反映了封建社会的婆媳关系、夫妇关系；而这些关系是建筑在封建社会男女不平等的基础上面的。

这些话一方面只能是窦娥这一人物在临死以前这一时间、在绑赴法场处斩这一场合所可能说的，因此它具有鲜明的个性。然而另一方面，它对于封建社会的男女之间、家长与家属之间的关系有着广泛的联系，能够打动处在这种社会关系中的一切读者。它是一，同时又是一切；是鲜明的个性，又有广泛的联系性。我们对于窦娥这个艺术形象的典型性质应该这样去体会；对于关汉卿其他杂剧中各个正面、反面的典型人物也应该这样去认识。

关汉卿在戏曲中塑造的艺术形象就它对于当时社会现实具有广泛联系说，符合于典型的广度；就它具有鲜明的个性，给观众、读者以深刻的印象说，又达到了典型的深度。关汉卿为我国现实主义戏曲的发展奠定了基础，他的主要成就表现在这一方面的艺术创造上。后来舞台上一些动人的场子，如《白蛇传》的“断桥”，《柳荫记》的“十八相送”“楼台会”，《白兔记》的“磨坊相会”，跟关汉卿这些戏里的典型形象具有共同的品格。

我国评价戏曲，就艺术形象的本身说，要求其真切，如王季重序《牡丹亭》的“笑者真笑，笑即有声；啼者真啼，啼即有泪；叹者真叹，叹即有气”；就艺术形象对读者与观众所起的作用说，要求其动人，如臧晋叔《元曲选序》的“能使人快者掀髯，愤者扼腕，悲者掩泪，羡者色飞”。我们看到《拜月亭》里夫妇离别的一场时，我们就像亲见剧中的王瑞兰在含着满眶委屈的眼泪，我们也不能不深深感动；我们看到《救风尘》里的赵盼儿拿着周舍亲笔写给她的休书得意扬扬地归来，我们也不能不为她眉飞色舞。这些逼真动人的艺术形象，表现了作者对现实发掘的深刻和他对现实进行艺术概括的才能。

关汉卿戏曲中的艺术形象，大都是当时社会所能经常接触到的平凡人物，然而他们又各自有着鲜明的个性与独特的风貌。如《谢天香》《金线池》《救风尘》里的三个坏蛋。我们可以从他们的声音、笑貌、动作、爱好里细致地区别出他们之间的不同性格来。

关汉卿塑造人物形象的手法，主要在掌握了杂剧这种戏曲艺术的特点，通过剧情的矛盾发展，把剧中正面反面人物引向矛盾的尖端，加以刻画。他所写的反面人物的成功，更好地衬托出正面人物的光辉形象。如《救风尘》里的周舍，《诈妮子调风月》里的小千户，他们的机灵活跳，使剧中主角赵盼儿、燕燕跟他们枪对枪、刀对刀，一来一往，不断迸出了火花。赵盼儿到郑州去找周舍时，经过几个回合，把周舍一步步引到她早就安排好的埋伏里去。后来周舍发现自己上了当，急中生智，把他写给宋引章的休书骗了来撕了。观众们这时正捏着一把汗为宋引章又将落在这坏蛋手里担心，谁知赵盼儿不慌不忙，从怀里拿出了周舍的真休书，周舍再要去抢时，她说："便有九头牛也拽不出去！"赵盼儿这最后致命的一击，它迸射出来的强烈火花，艺术地鼓舞了人们对敌斗争的豪情与气概。

此外如情节的集中与变化，人物细节的刻画与侧面的映衬，语言的生动泼辣，关汉卿在艺术创作上有一套完整的手法，直到今天还值得剧作家们认真地加以批判继承，古为今用。

五、玉京书会、燕赵才人
——他的生活道路与创作道路

作家艺术典型创造的广度与深度决定于作家生活的广度与深度。跟人民生活没有广泛联系的作家不可能了解人民共同的爱好是什么，共同的憎恨又是什么。作家没有深入人民的底层，了解那些受压迫最深的人们的精神面貌，也不可能把他们感情上的起伏变化血淋淋地揭示在观众的面前。关汉卿一生写了六十多本戏，戏里包括当时各阶层各行业形形色色的人物。关汉卿不仅熟悉这些人物的衣着与行动，同时抓住了他们内心感情的起伏变化。很难想象，关汉卿如果没有丰富的生活经验、广泛的感性认识，而能创造出这各色各样的艺术形象来。

关汉卿在公案戏里表示，当时的一切官厅、帅府不可能替人民主持正义而只能造成冤狱；在儿女风情戏里，认识到普天下心心相爱的夫妻希望永不分离，而当时做父母的总是跟子女闹别扭；在写妓女的戏里，把鸨母性格上的特征归纳为“恶、劣、乖、毒、狠”五个字，并认为当时堕落在这个陷阱里的青年妇女总是“越聪明越不得出笼时”。从关汉卿在戏曲里这一方面表现看，他不但对当时社会现实有广泛的接触，同时从他所接触的广泛的社会现实里概括出带有根本意义的东西。另外一面，一个无罪的人在被绑到法场处斩时他心里将怎样想，感情上怎样激动？他对周围的观众有什么指望，对自己的亲人有什么吩咐？一个聪明而倔强的少女，当发现她经过反复考虑而后接受他的爱的男人是一个骗子时，内心将怎样痛苦？她对这男人将会想到些什么？对自己，对环绕在她周围的女伴又想到些什么？剧作家如果不能深入这些人物的生活，窥见他们的内心活动，不可能塑造出像《窦娥冤》《诈妮子调风月》里那样动人的艺术形象。

然而我们如果把这些统统归功于关汉卿个人的成就，那又将不可能正确理解关汉卿在舞台艺术创造上的种种活动和他在这种种活动中所起的作用。

关汉卿生活在13世纪的北京。北京从10世纪起就成为当时跟北宋对抗的辽国的首都。金国灭了辽与北宋后，北京成为中国北方地区政治文化的中心，产生了不少著名的作家与诗人。然而蒙古入主中原也正是从这里打开一个缺口的。蒙古的入主曾给中国北方地区人民带来巨大的灾难，也遇到中原北方地区人民的坚决抵抗。关汉卿从小生长在北京，就从他在《拜月亭》杂剧开端所反映的情况看，他对当时兵荒马乱的情景是相当熟知的。由于蒙古族当时在文化上还处在比较落后的状态，在他们占领了整个中国北方地区之后，对当时中国北方地区的读书人还不知利用，有时甚至把他们拘禁起来替他们抄写些佛经或做别的无关紧要的工作。这些读书人在蒙古人入主中原时曾跟广大人民共同经历过一次灾难，后来蒙古停止金国的科举制度，又割断了他们向来跟统治者合作的道路。他们之中的一部分人在蒙古建都北京之后，组织了一个创作团体，叫作“玉京书会”。这个书会主要是写些剧本、话本、唱本之类出版，一面供给民间艺人演唱，一面也成为当时略识文字的小市民的读物。组织在这个书会里的读书人有杨显之、岳伯川、赵公辅、费君祥、孟汉卿等许多人，都是当时著名戏曲作家。这些人在当时被称为“玉京书会，燕赵才人”。关汉卿由于作品最多，影响最大，成为这个书会所领导的戏曲活动里最活跃的人物。

集合在“玉京书会”里的“燕赵才人”，他们在创作上有两个共同标准：一个是“时行”，即能够在当时流行，这要求他们的作品能够为当时略识文字的读者所欢迎。这些读者除了一部分结合在书会里的读书人之外，主要是城市里的商人、手工业工人，以及一些士兵与小吏。他们的作品一般不是为了个人传名后世而自己出钱刻印的，这就要求他们的著作浅近通俗，符合于这些读者的胃口。他们作品的读者既然是当时被统治阶级里的一些城市平民，作品的内容就必然跟那些以宣扬封建道德教条、巩固封建统治的作品不同。钟嗣成在《录鬼簿》里说："若以读万卷书，作三场文，上夺嵬科，首登黄甲第者，世不乏人。其或甘心岩壑，乐道守志者，亦多有之。但于学问之余，事务之暇，心机灵变，世法通疏，移宫换羽，搜奇索怪，而以文章为戏玩者，诚绝无而仅有也。"又说："若夫高尚之士，以为得罪于圣门者；吾党且啖蛤蜊，别与知味者道。"明显地指出了他们的创作道路与艺术趣味跟封建统治阶级的士大夫不同。关汉卿在这方面是旗帜最鲜明、影响最巨大的作家。

另一个标准是"当行"，即符合于当时戏曲演出这一行业的要求。臧晋叔《元曲选序》在介绍了关汉卿"躬践排场，面傅粉墨，以为我家生活，偶倡优而不辞"的生活作风之后，接着指出："曲有名家，有行家。名家者，出入乐府，文采灿然，在淹通闳博之士，皆优为之。行家者，随所妆演，无不模拟曲尽，宛若身当其处，而几忘事之乌有。……故称曲上乘，首曰当行。"他实际是把关汉卿作为戏曲当行作家的代表人物来介绍的。由于关汉卿经常跟当时的戏曲艺人在一处，自己也参加了舞台演出的工作，这就使他的戏曲在舞台演出上收到更好的效果。

关汉卿的戏曲在人物塑造上有着这样卓越的成就，决定于他的生活道路与创作道路；而他的生活道路与创作道路又决定于当时历史形势的发展和从北宋以来北方各大都市里各种民间文艺的发展。这种民间文艺发展到金末元初，由于阶级矛盾与民族矛盾的空前尖锐，许多有才能的文人投身到民间文艺的创作里去，一度起了质变。它具体表现在“玉京书会，燕赵才人”的许多戏曲作品上，关汉卿在这方面是成就最高、影响也最大的人物。

然而关汉卿毕竟是离开我们将近七百年的作家，他的戏曲虽然能够通过舞台艺术形象加深人们对封建社会的认识，支持人们对封建社会各种不合理现象的斗争；依然不可能从根本上找出一条完满解决问题的道路。王瑞兰、燕燕的结局应该是作者所认为满意的，然而前者是那么巧合，要是蒋世隆不中状元，王尚书也没有奉旨招亲，他们的重圆就是不可能的。后者的结局在我们今天看来根本不能认为美满。此外他的几个儿女风情戏，如谢天香与柳耆卿、温太真与刘倩英的结局，也都给我们十分勉强的感觉。

他的几个公案戏的结局也不能认为是现实发展的必然结果。这是作者的时代局限性，也是古典戏曲现实主义的局限性。作者在当时既不可能看到封建社会的出路，也就不可能通过舞台艺术把它揭示给观众。

关汉卿生活在六百多年前的北京，遇到从古以来所少有的变局，因科举的停止，与他志同道合的朋友组织书会，深入下层社会，参加舞台演出，已经在我国戏曲史上展开光辉的一页。今天我们生活在历史发展上的重要转折点，国际上东风压倒西风，国内在经济战线与政治思想战线上都取得了伟大的胜利，全国人民正以排山倒海的气魄向社会主义进军。我们的社会面貌正在迅速改变，各种新的震动人心的奇迹正在不断出现，这就为我们戏曲内容的充实提供了最有利的条件。几年来的戏曲演出在毛主席“百花齐放，推陈出新”的方针指导之下，已开出万紫千红的花朵，这又为我们戏曲艺术的革新准备了有利的条件。今天我们纪念这位六百多年前的伟大戏曲活动家，剧作家们必须更自觉地深入工农兵，经常关心舞台演出的实践，写出更多更好的戏，鼓舞劳动人民建设社会主义的热情，揭露残余在我们时代的一切旧社会的渣滓。这是今天一切戏曲工作者无比光荣的任务，在纪念关汉卿的今天，我们应有决心共同向这个目标奋进。

（原载《文学研究》1958年第2期）

明万历四十五年刊本《牡丹亭》

《牡丹亭》略说

吾国传奇小说，在《西厢》以后，《红楼》以前，最为青年人所爱好者当推《牡丹亭还魂记》。《红楼》开端即有“满纸荒唐言，一把辛酸泪；都云作者痴，谁解其中味”之自白。古今名作，每令读者为之如醉如痴而不能自已，然使叩以作者命意所在，每瞠目不知所对，人莫不饮食，鲜能知味，此《西厢》所以被目为淫词艳曲，而《还魂记》作者汤若士至有堕入泥淖之传说也。

当若士《还魂记》梓行未久，娄江俞二姑即为之断肠而死，而杭州女伶商小玲当演唱《寻梦》时竟玉殒红氍毹上。至冯小青《冷雨幽窗不可听》一诗，尤可觇斯曲对闺阁读者感动之深也。《西厢》所以特为青年读者所爱好，实在作者“愿普天下有情的都成了眷属”之伟大理想，使斯理想而得实现，则即“男有所事，女有所归”之大同世界，亦即孟子所谓“内无怨女，外无旷夫”之仁政，岂得徒以淫词艳曲目之。至《还魂记》作者之意，更难得解人。盖托梦还魂，故事既荒唐不经，折寇索元，关节复错综异常；读者每目迷五色，不易得其命题之所在。

《牡丹亭》一曲，最为人传诵者，为“惊梦”“寻梦”二折，而其所以特为过去少女所爱者亦正在此，以其确能写出当时在旧礼教束缚下，大家闺秀之苦闷心情也。故“良辰美景奈何天，赏心乐事谁家院”，则青春之易负也；“则为俺生小婵娟，拣名门一例一例里神仙眷”，则良缘之易误也；“似这般花花草草由人恋，生生死死随人愿，便酸酸楚楚无人怨”，则恋爱之不得自由也，而感人最深者，尤为“可知我常一生儿爱好是天然，恰三春好处无人见”二语，为古今无数天才女子之被埋没，下悲天悯人之泪；同时予主张“女子无才便是德”之无数腐儒以强烈的反抗。试思吾人而身为旧时代之女子，有爱好文学，爱好艺术之天性，而幽闭终身，丝毫不得表现，读此曲时，有不惊心动魄，肠断魂消者乎？

“他人言性我言情”，为若士对当时一般腐儒之绝好讥刺，而若士所谓情，实即“精诚所至，金石为开”之精诚。其自序《还魂记》曰：“凡人之情，不知所起，一往而深，生者可以死，死者可以生。生而不可死，死而不可复生者，皆非情之至也。”既已明揭作意，而“身似残梅样，有水无根，尚作余香想”，及“一灵未歇，泼残生堪转折”等曲，皆极写“海枯石烂，此心不死”之至情。杜丽娘之还魂，即为“死者可以复生”举一实例。此在现实世界自为理不可通。然情之至者可以超生死，亦唯有超生死者乃确能得大解脱，得大自由，古今志士仁人之舍生取义，求仁得仁，亦即此一念所使然。若士特就儿女之情，为举一浅近之例耳。忆十数年前读此记，为小曲题其后，有“向鬼门关开出条相思路”之句，颇为瞿安师所赞赏，及今思之，实尚是隔靴搔痒也。

若士本至性至情，孤高特立之士，记中杜丽娘，盖不啻为其自身写照。张惠言谓温庭筠〔菩萨蛮〕可作士不过赋读，若士此记亦然。关于此点，蒋士铨《临川梦》中曾假俞二姑之言为之说明：“他写杜女痴情，至死不变，正是借以自况，所谓其愚不可及也。”可谓别具只眼，故“寄春容教谁泪落，做真真无人唤叫”，则《国风》之“我思古人，实获我心”也，“可知我常一生儿爱好是天然”，则《离骚》之“民生各有所愿乐兮，余独好修以为常”也，必如此读，方会得作者苦心。

玉茗四梦，《邯郸》《南柯》《紫钗》，皆本唐人说部，而《还魂》一记，独无所本。长沙杨恩寿《词余丛话》因以为刺昙阳子而作者，蒋士铨亦信其说，故《临川梦》中有“毕竟是桃李春风旧门墙，怎好将帷薄私情向笔下扬，他平生罪孽这词章”之句，且昙阳子为太仓王文肃之次女，而文肃则若士之雇主也。斯说也，海宁王静安先生及吾师吴瞿安先生，俱据江熙《扫轨闲谈》及朱竹垞《静志居诗话》为之辩正，已成定论。然古今说部所载还魂之事，屡见不鲜，而《法苑珠林》记广州太守冯孝将儿马子，与前太守徐玄方女感梦还魂成婚，及《睽车记》载士人寓三德佛寺，有女子与合，其后发棺复生遁去，与还魂一记，尤为近似，亦不能谓若士绝无所本也。至《传奇集考》谓杜安抚盖讥郑范溪，柳梦梅盖刺沈懋学，当属可信，而猫儿眼主试苗舜宾，谅亦别有所指。唯此等随笔游戏之文，殊非作者主意之所在耳。

《西厢记》《还魂记》，虽同为言情之作，同为过去时代青年人所爱好；然《西厢记》明快，《还魂记》幽艳，作风固绝不相侔，故如上数北剧，唯郑德辉《倩女离魂》为近之，而吴石渠《情邮记》《疗妒羹》，蒋士铨《空谷香》《香祖楼》诸作，则又此记之苗裔也。

《还魂》曲文间有而徙律处，若士固自谓“不惜拗折天下人嗓子”；而《冥判》〔混江龙〕、〔后庭花滚〕二曲增句至六七百言，亦未免滥逞才华，即使钢喉咙，铁嗓子，亦将为之唱破。又关目太繁，不知剪裁，亦是一病。（吴江沈璟改编之《同梦记》，今已不易见）硕围改本，就此数者言，可云若士功臣，唯曲文间经改窜，便令人有点金成铁之感；而《冥判》出〔北点绛唇〕下径接〔天下乐〕，尤乖北曲联套之律，此若士所以有“纵饶割姜时人景，却愧王维旧雪园”之叹息欤？若士熟于元人方言，后人不解，亦多任意改窜或妄为评语者，如第二十四出有“日来病患较些”语，吴江三妇评点本，改较为善，不知元人原以较为消差，《西厢记》《拜月记》诸剧皆可证，而唐人诗亦有“记得玉人春病较”之语。又四十四出“休乔，这话教人笑”，乔谓装腔作样，语原不误，而冰丝侣本改乔为谰，俱由不明元人用语也。至“八字梳头作目呼”“弄影团风抹媚痴”等语，前人最以为不可解，然前者见《臧斋乐府》，及《雍熙乐府》第十四集〔贤宾知〕几套，谓颠倒不识字者呼目为四也。后者则见《西厢记》第三本，抹媚即魅媚，二字连文一意，石勒谓曹孟德、司马仲达以狐媚取天下，媚正作魅解，非谓其斗媚也。快雨堂评《牡丹亭》，谓目作麽音，元人有之，盖以“作目”连读，而前人读《西厢》，于“抹媚”二字，亦每失其解，予于《西厢》方言，曾有考释。他日当亦为若士此记作注，庶读者不至以误传误也。

（讲演稿，刘梦蕾笔记，原载1944年《国文月刊》31—32期）

汤显祖在《牡丹亭》里表现的恋爱观和生死观

——在纪念汤显祖逝世366周年学术讨论会上的发言

这一次，我主要是看戏来的。我自己比较爱看戏，戏也看得比较多，最多的是今年。在苏州看一次，在北京看一次……有的是《牡丹亭》的缩编本，有的是《牡丹亭》里的折子戏。这一次又看到汤显祖的《临川四梦》，真是眼福不浅。

关于“南柯梦”“邯郸梦”，有些同志提出，过去文学史上对它们的评价偏低了。我觉得这意见很好。我们这部文学史也准备改，在修改时，可以转达同志们的意见。有的同志提出，《邯郸记》《南柯记》不能算是他的晚年作品，也不能说这两部作品的主要倾向是消极的。这些意见都很好。

在没有谈《临川四梦》以前，有点小事要说明一下。我看到《简报》第二期，谈到我对汤显祖的评价，说他比莎士比亚要高。这可能由于我普通话说不好，听不清楚。莎士比亚的戏我看得很少，我怎么能够轻易地、狂妄地说汤显祖的成就比莎士比亚要高呢？

今天我准备要谈的有两个问题。

头一个问题，是汤显祖对于恋爱问题怎样看。哪些是对的，哪些是不对的。哪些在今天看来还是有用的，哪些是过时了的，或者是错误的。我过去在中山大学讲文学史，讲过这样的话："在写爱情的作品里，元、明、清三代有三部著作是最典型的：元代王实甫的《西厢记》，明代汤显祖的《牡丹亭》，清代曹雪芹的《红楼梦》。"回顾解放后我走过的道路，当舞台上演出《西厢记》、演出《牡丹亭》时，我的生活也好过一些；每当《牡丹亭》《西厢记》受到批判时，我的日子也就不好过了，这不能不引起我的深思。

在"文化大革命"期间，我家里收藏的《西厢记》《牡丹亭》等戏曲小说几乎被人家拿光了。关于这方面的一些稿子、提纲，也被拿去烧了。他们说我不学习马列主义、不学习毛主席著作，不给同志们讲毛主席的诗词，还要他们看《红楼梦》，看《西厢记》。他们说："有些女同学看了《牡丹亭》《红楼梦》，哭得把枕头都湿透了。"类似这样的一些话我听到不少。那么，我今天究竟怎样评价《牡丹亭》呢？"文化大革命"时期，有一点是对我最大的好处：书不教了，会也少参加了，有空就念一点书，还比较认真地看了一些马列主义的著作。“文化大革命”过去以后，他们要我重新讲《西厢记》，也要我重新讲《牡丹亭》。我说《牡丹亭》也好，《西厢记》也好，它们的主要内容就是写爱情。对它们描写的爱情应该怎样看，这个问题如果不解决，那就没有办法比较正确地评价这两个戏。现在假使谈《牡丹亭》，谈《西厢记》，首先要用生产的观点来看待这种男女间的爱情问题。马列主义认为人类社会有三种生产：一种是物质财富的生产。我们的衣食，以及其他生活上必要的物资，属于这种生产。另一种是精神财富的生产，也就是我们搞上层建筑、搞意识形态、搞文艺创作等等。除了这两种生产之外，还有一种生产——人类自身的再生产。借用中国一句老话，就是“传宗接代”。这三种生产密切相关，而性质又有区别。这第三种生产是通过男女双方结合（他们恋爱、结婚、建立家庭）来进行的。一个家庭搞不好，必将影响到家庭成员里从事生产的人，不管他是从事物质财富生产的，还是从事精神财富生产的。从上述三种生产看，马克思主义者一向认为，物质资料的生产是最根本的。如果饭吃不饱，衣服穿不暖，生活上必须的东西都没有，自身的生命都没有保障，更谈不到恋爱、结婚了。这样看，我们今天要求青年们晚婚，要求青年们先立业后成家，这是对的。《牡丹亭》里也好，《西厢记》里也好。我们演出、讲课时，对青年观众或青年读者有些消极影响。一个是早婚，他们十六岁就要求结婚了。上半年苏州演出《游园惊梦》，有的人就提出了这个问题。他说："一个女孩子才十六岁，就这样梦魂颠倒，想找一个像柳梦梅那样的对象，对我们今天有什么好处！"另一个是，这种写爱情的古典作品，它们主要是想解决爱情问题。《牡丹亭》里的杜丽娘、柳梦梅，除了他们互相追求爱情之外，是不是还有别的事业？"哎呀，女孩子一天到晚都在那里想男的，男孩子一天到晚都在那里想女的，这不是爱情至上吗？"我看，作品里头是有这些，我们可以指出，但这是历史上的现象。中国历史上本来就是"女子二十而嫁，男子三十而娶"，这还比较合理。但在小说戏曲里面，一般都写二八佳人怎么样，好像十六岁就应该结婚了。为什么说这是历史上的现象呢？因为历史上一般的家庭，往往认为养女儿不合算，叫她"赔钱货"。反正养大了要嫁给人家的，何不早一点把她送出去。《西厢记》《牡丹亭》，写主人公的爱情比较专一，这点是好的；要求男女的婚姻，建立在双方互相有感情、思想上彼此投契的基础上，这点也是对的。但写他们过早谈恋爱，把恋爱摆在其他生产活动之上，就不好。

除此以外，我想还有一点应该说清楚。人类发展到文明社会，要经过三个阶段。最初是蒙昧时期，人类离禽兽的生活还不远，男女的性关系比较乱。跟着来的是野蛮时期、文明时期，男女之间的关系，也相应起了变化，由一夫一妇结成比较固定的婚姻。这种男女之间的关系，马克思、恩格斯的著作里，给它一个特别名称，叫作“性爱”。假如说“爱情”，我们兄弟之间、父子之间、朋友之间，都会发生彼此相爱的感情的。只有男女之间的爱情，包括性关系，所以马克思、恩格斯叫它“性爱”。人类社会到了文明时期，有三种性爱：一种叫古代性爱，封建社会、奴隶社会，主要是这种性爱。男女之间订婚结婚，完全由家庭做主，他们本身的再生产是在一个个家庭进行的。家庭里有家长，他们的婚姻，不管你本人愿不愿意，一概由家长做主。我们中国过去流行的就是“父母之命，媒妁之言”的婚姻。这种婚姻基本上适合以家庭为生产单位的古代社会。另外一种叫现代性爱。人类文明发展到资本主义社会，出现了男女共同劳动的工场、工厂，把许多青年人从一个个家庭里解放出来，到大工厂大企业里去，男女经常有接触的机会。又把青年男女统统组织起来，到学校里共同学习。这样，一个封建家长还想掌握一切，把一个个女孩子都关在家里养，不可能了。这个时期出现的性爱，被称作现代性爱。现代性爱要求结婚的男女双方要有感情。如果双方没有感情，由父母勉强撮合，那就是不道德的。这跟古代性爱恰恰相反。在古代社会，如果男女双方产生爱情，私自结合，那是认为可耻的，甚至要受到刑法的惩罚。这种情况在解放后一些落后地区都还存在。张弦同志写的《被爱情遗忘的角落》就很好地表现了这一点。我们在广州，在大学里，应该算是比较文明的吧？1971年，我们刚从“干校”回广州，招了一批工农兵学员进大学。一位女学生考上中山大学中文系，她的女朋友为祝贺她，送她一本《安娜·卡列尼娜》。这在同学中慢慢传开了。同班一个学生说：“我录取中山大学，大队书记知道了，送给我一本《毛主席语录》。你那个朋友呢，她送给你这本谈情说爱的小说，这是阶级斗争的新情况，是资产阶级跟我们争夺年青一代的表现。”这就在学校里掀起一场路线斗争的风波。去年，我们广州电视台连续转播这部托尔斯泰的小说，一时议论纷纷。有的人说：“这样一个‘破鞋’，还有什么看头！”易卜生的剧本《玩偶之家》在荧屏上出现的时候，有人脱口就说：“这样的一个丈夫，对她那么体贴，她怎么还要走哇？”他认为娜拉的出走是不可理解的。我们是社会主义社会，比资本主义社会前进了一步。但在一些穷乡僻壤，还有家长做主的婚姻，造成悲剧。可见封建社会在婚姻问题上的影响是不容易一下子肃清的。除了现代性爱之外，还有一种性爱，那就是未来的性爱。这只有到了共产主义社会，人们生活上所需要的东西基本上是按需分配了，人民的思想觉悟普遍提高了，才有可能实现。

但是，这三种性爱并不是截然划分的。在封建社会里已经出现了现代性爱的萌芽，这就是《西厢记》《牡丹亭》等优秀古典文学作品所描写的性爱。在我们今天的社会里，一方面还有封建婚姻的影响，依然还存在一些赞成“父母之命，媒妁之言”的婚姻。但在我们社会里，同样也有了未来性爱的萌芽。我们这一代人，就大量事实看，应该还是现代性爱，男女结合要有感情，要由当事人自己选择，这才是合理的。在我们社会里有的男女青年，为了共产主义事业，大家有共同的思想基础而结成夫妇。这一部分婚姻是未来性爱的萌芽，是少数。比较多数的人，还不能不考虑对方工资多少，他家庭的经济基础怎么样。现在我们社会上有些人在考虑结婚的时候，有一连串的顺口溜，什么“一表人才”呀，“双亲倒贴”呀。结婚了要有多少嫁妆陪送，新房里要多少条“腿”呀。我们这个社会工资低，我们的生活还不很充裕。青年们结婚时，不能不考虑对方的经济条件。到了未来，共产主义逐步实现的时候，那就可以完全根据当事人双方的志趣来结合。属于未来性爱的婚姻，那时候才有可能大量地涌现。

我想，在面对这些古典文学里反映男女爱情的作品时，我们应该考虑，哪一些是表现古代性爱的，我们应该反对它；哪一些是表现未来性爱的，我们应该拥护它；哪一些是表现现代性爱的，我们应该基本肯定它。同时指出它还不是我们的理想。我们应该要求人们更多地从现代性爱过渡到未来性爱。《牡丹亭》《西厢记》这些产生在封建社会的文艺作品，它们里面不可能出现像我们今天的现代性爱，完全由男女双方做主。即使像《牡丹亭》里的杜丽娘、柳梦梅，他们最后还要求得到家长的允许，甚至得到皇帝的批准。作品里描写男女双方，为了达到自由结合的目的，不顾父母的反对。这些描写，表现了当时人民要求在爱情生活方面，从封建的习俗过渡到现代性爱来，有它的进步意义。作品的民主性主要表现在这里。

理解到这一点，我们大家今天努力把物质生产提高，使人民生活越来越好过，在精神生产方面，也认真地写出一些有教育意义的作品。这实际上就是为了使未来的性爱，在我们社会上越来越多地出现。头一个问题我就谈到这里。

第二个问题，谈谈汤显祖在《牡丹亭》里表现的生死观。汤显祖在《牡丹亭》的“题词”里说，“生者可以死，死者可以生”，这才是“情之至”。《牡丹亭》里有三句话，合起来看，正好表现了汤显祖对生死的看法。一句在“惊梦”里，杜丽娘唱的“可知我常一生儿爱好是天然，恰三春好处无人见”。另外一句话在“闹殇”那出，杜丽娘临死时唱的“怎能够月落重生灯再红”。还有一句，汤显祖在“标目”里念的“但是相思莫相负，牡丹亭上三生路”。这第一句谈“一生”，第二句谈“重生”，第三句提出“三生”。三句话结合起来看，可以比较完整地表现汤显祖对生死的看法。

先谈第一句“可知我常一生儿爱好是天然”。杜丽娘想要到后花园去玩，把自己打扮了一番。春香在旁边看见了，赞美了她一句：“姐姐今天穿插的好。”杜丽娘接唱一支曲子，说：“可知我常一生儿爱好是天然，恰三春好处无人见。”这句唱词，在学术界曾引起争论。一种意见说“爱好”应念作“ài hào”，指喜欢（做动词用）。“天然”指“自然美”，就是后花园中的“良辰美景，姹紫嫣红”。另一种意见，说“爱好”就是爱打扮，就是爱美。这个词这样用，别的地方不知道，我们温州一带、台州一带，至今还有这样的话，说女孩子喜欢打扮是“爱好”。据徐朔方同志解释，这个好是指美，指打扮，做名词用。下面的“天然”就不是指自然美，而是指天性，表现她天生的性格是爱美的。这两种解释，在“游园”这场戏里，我想都是可以说得通的。我比较倾向于朔方同志的解释。朔方同志还引证了《紫钗记》里一段话。霍小玉的婢女浣纱，看见李十郎衣服穿戴得非常好看，赞美他一句，李十郎接着说：“小生从来带一种爱好的性子。”汤显祖在《紫钗记》里和《牡丹亭》里都用了“爱好”一词，不过一个是赞美李十郎的爱好，一个是赞美杜丽娘的爱好。“爱好”一词的词义正好相同。杜丽娘不仅要把自己打扮得这样漂亮，还希望别人家能看见她的美貌，这才感叹自己的“恰三春好处无人见”。今天，一个女青年把自己打扮得漂漂亮亮出去，是不会引起人们的大惊小怪的。但在封建社会，对妇女的约束很严，除了她自己的父亲、丈夫之外，是不许别的男人轻易看见的。我在宋人笔记里，看到一段有关司马光的故事。司马光的妻子同几个姐妹，在元宵之夜，想出去看花灯。她去问司马光，司马光说：“花灯有什么好看！”他妻子说：“不光是看灯，也要看看人呀。”司马光说：“看人？难道我不是人吗！”他的意思就是，你要看人就看我好了，为什么还要去看别人呢？封建社会认为一个妇女打扮得漂亮，让别人看见，就是“冶容诲淫”，说你把自己打扮得漂漂亮亮、使别的男人看见产生爱慕，这是你教他们“淫”。而封建社会的舆论是“万恶淫为首”。我们看过《李慧娘》这个戏，贾似道可以三妻四妾地胡闹，而李慧娘看见一个青年人，赞美了他一句“美哉少年”，她就死无葬身之地。汤显祖敢于写一个大家闺秀，把自己打扮得漂漂亮亮，还希望有人看到她的美，这是显示他的胆量的。杜丽娘到了花园里，看见满园春色，伤心地唱道：“原来是姹紫嫣红开遍，似这般都付与断井颓垣……”（〔皂罗袍〕）这支曲子在封建社会长期传唱，有它的社会原因。一般讲，我国封建社会的历史比较长，封建礼教特别严酷。男女七岁不能同席。走起路来行不动裙，因为不让她的脚给人家看见。说起话来笑不露齿，因为怕人家看见她的笑容。杜丽娘唱的这两句曲子，意思是说：“那里有这样好的花，为什么不能够让人家去看，去欣赏。”这使我想起《西厢记》里崔莺莺到月下听琴时唱的一段曲子：“人间看波，玉容深锁绣帏中，怕有人搬弄……”就是天上的嫦娥在寂寞中东升西落也找不到一个做伴的人，为什么还让月阑（月晕）把她封闭起来。这一段和“惊梦”中杜丽娘唱的〔皂罗袍〕相似，都是表现对封建社会把妇女关在深闺的不满。这些情况，今天在阿拉伯世界还是存在的。妇女出外要用面纱罩起来，不许别人看到她的面容。沙特阿拉伯一个公主跟英国一个青年自由结合，逃到英国去。后来王室千方百计把她抓回来杀了。这都说明封建社会对妇女的禁锢是根深蒂固的。汤显祖的《牡丹亭》，有一点最值得我们赞赏的是：“同情妇女，赞美青春。”正如我上文讲的，“爱好”，就是爱美，她天生是爱美的。这一点决不仅仅指她打扮的好看，还应该包括她爱美的天性。

在话本小说《杜丽娘慕色还魂》里，说杜丽娘无书不读，琴棋书画样样精，针指裁缝样样会，整个府里的人都称她作女秀才。在《牡丹亭》里，更充分地表现出来。她只有十六岁，她在学问见解上有许多比五十几、六十几的陈最良还要高明。《闺塾》里写她的字是美女簪花格。《写真》里写她这样年轻，就能对镜把自己的全身像描下来，还题上一首诗。中国封建社会发展到宋代以后，有木版书了，书籍得到容易，看到也容易。在有些“书香门第”里（像杜宝这样的人家），藏书多，男孩子固然要看，聪明的女孩子也要看。在“惊梦”里，杜丽娘自己说看过《西厢记》《题红记》。这些在封建社会有进步意义的戏剧、小说，对她是有影响的。封建社会愈到后来，对妇女的压迫、拘禁也愈厉害。北宋时还好一点。当时像王安石这样的家庭，还允许自己的媳妇再嫁人。后来就不行。一些聪明的女孩子，她们能作诗，会画画，又长得漂亮，她的命运十有八九是不幸的。欧阳修在《明妃曲》里很好地概括了这一点：“红颜胜人多薄命。”因为你愈长得漂亮，愈聪明，那些特权阶层的人物，就千方百计要把你抓到手里，当作一种玩具来玩弄，当作一个尤物来糟蹋。杜丽娘在“惊梦”里唱："则为俺生小婵娟，拣名门一例一例里神仙眷。甚良缘，把青春抛的远。"正因为我从小聪明、漂亮，父母要在名门大族里找到一个称意的女婿。但（她觉得）在这许多名门大族里，有什么好姻缘能够得到，只有徒然把自己的青春耽误了。"膏粱纨绔之家，必无子弟"（《朱伯庐治家格言》）。杜丽娘是看到这一点的。她这个太守的独生女儿，要门当户对，就得配上个名门大族的子弟，但是她不愿意，宁可自己另找个有才华、有学问、能够欣赏她的才能的穷书生。这在当时是写出了许多青年女子的共同愿望的。

杜丽娘在"写真"里把自己的肖像画下来之后，唱了这样两句："论人间绝色偏不少，等把风光丢抹早。"意思是说，人间长得像我一样漂亮的女孩子是不少的，同样的她们都把青春耽误了。那就说明这个现象是相当普遍存在的，不是她个人的悲剧。封建社会一些有才能的女子，往往由父母做主，定下婚姻，使她们痛苦一生。《牡丹亭》写出杜丽娘这样一个爱好、爱美，有各种修养、各种才能的女子，在婚姻问题上发自内心地痛苦，可以打动许多青年女子的心，引起她们的共鸣。这就形成一股冲击封建婚姻的力量。《牡丹亭》的进步性、民主性，主要表现在这些地方。那么我们改编《牡丹亭》，也应该抓住"惊梦""寻梦""写真""拾画""玩真""叫画"

这些场，把它写好。杜丽娘画的这张画，被柳梦梅捡到，上面有她的字，有她的诗，显示出她的诗才画笔。作为柳梦梅这个知识青年，也有文艺修养，他看到这张画，自然会钦佩她的诗才，能欣赏她的画笔，引起他内心对她的倾慕。如果我们写他仅仅对这张画这边看看，那边看看，说她眉毛长得怎么样，脸和嘴巴长得怎么样，说她裙子下面那双脚小得可爱，那就把他写成纨绔子弟了。

第二句，“怎能够月落重生灯再红。”这是“闹殇”里杜丽娘临死时的唱词。她知道自己快死了，她说怎能够月亮落了再生出来，灯灭了再红起来。月落当然可以重升，灯灭了当然可以再红。但人的生命只有一次，它不可能再生。这是我们今天的看法。但历史上关于人死再生的记载不少，尤其是那些志怪的小说。有些人在这方面做过一些科学的探讨，人在冬眠的状态下，身体各方面的消耗很少，也许可以经过几天或几年再醒过来的。《聊斋志异》记载，某个地方的矿塌下来，许多人都被埋在里面，后来把这个矿打开时，有一个矿工还活着。人家问他矿里情况怎么样，他说自己好像做了一场梦。这跟人死了再生有些类似。

汤显祖不可能有我们今天这样的想法，说人在冬眠状态下可以活多少时候，仍旧醒过来。但在汤显祖的思想里，认为人死了还有魂魄，这个魂魄还可以投胎转生，借尸还魂，或者就在原来的尸体上回生。他认为在现实世界之外，还有另外一个世界，那儿有天堂，还有地狱。地狱里还有判官、阴兵，他们在统治着人的灵魂。这一切，我们今天很清楚，都是荒诞不可信的。

但是，汤显祖为什么有这种想法？他写“四梦”，为什么相信有另外一个世界呢？最初的影子是从人的梦里来的。因为人在梦里，好像在另一个世界里活动，就认为这是灵魂活动的区域。正因为汤显祖这样想，下面就有“魂游”，写杜丽娘的魂魄在梅花观夜游，就有“玩真”“拾画”“叫画”这几出戏。柳梦梅看见这画像跟自己梦见的女郎很像，很漂亮，就一直“姐姐”“姐姐”地叫，叫到后来，叫得她灵魂出现，到最后终于“回生”了。

人同鬼相爱，人同狐相恋，早就在志怪小说里出现。汤显祖不过把这些历史上的传说，用当时比较新的文艺形式——传奇，把它表现出来。这就在我们中国文学史上，成为一个优秀作品，登上了浪漫主义的高峰。今天我们从思想上看，这表现了汤显祖的历史局限性。那时候，他不可能科学地说清楚梦是怎么形成的。人类社会在高度发展之后才有思想，有感情。人体一死，这些思想、感情的活动跟着都停止了。他当时还不可能认识到这一点。但另一方面，在艺术上表现了他的杰出成就。汤显祖这个戏，不仅是在《闹殇》以前的许多写杜丽娘在现实生活中的那些活动，非常动人。写她死了之后的许多戏，同样很动人。这在思想上表现了他的历史局限性，而在艺术上却表现了他的杰出成就。如果汤显祖当初没有这种鬼神观念，他不会写《牡丹亭》，写出来也不可能这样动人。

人死了不能重生。这是现代作家所应该有的知识。我们写的现代戏，当然不能出鬼。但历史上的作家，大多数相信有鬼，相信人死了之后还可以还魂，或者投胎转生。我们如果要求历史上的作品只能写人，不能写鬼，那么，文学史上许多优秀的作品，将统统被抹杀。包括《牡丹亭》《李慧娘》两大悲剧在内。这不仅是反历史的，也是反现实主义的。因为相信人死了有鬼，人的鬼魂可以还魂，是历史上许多人头脑里确实存在过的现象。这种现象，从历史看，是反映了历史的现实。这里，我想起马健翎同志写的《游西湖》，就是李慧娘这个戏。原来有一场叫“见判”的戏，写李慧娘向判官申诉，借得了阴阳宝扇，到贾府复仇，富有浪漫主义色彩，舞台形象也很美。马健翎同志的《游西湖》，为什么要把这场戏删去呢？就是因为这场戏在舞台上出现了鬼。我去年在电视上看到苏州京剧团演的《李慧娘》，把“见判”这场戏恢复了，看来非常动人。

现在，听说这个戏带到意大利威尼斯演出了。这说明，社会各种现象也会有曲折的，有反复的。借《牡丹亭》一句话来说，是“月落重生灯再红”。

汤显祖的戏，新中国成立后全本演出的，我很少看到，看到的只是京剧里《游园惊梦》这折戏。照理，历史上有成就的戏，它应该“重生”。应该“还魂”。《邯郸记》也好，《南柯记》也好，在我们今天，应该可以演出。这一次，江西的同志为纪念汤显祖重新演出“四梦”，将来在戏曲史上是值得大书特书的。

最后，简单地谈一谈汤显祖的第三句话：“但是相思莫相负，牡丹亭上三生路。”这是汤显祖在《牡丹亭》第一出戏里开宗明义就提出的。这表现了他自己写《牡丹亭》的宗旨。从这句话里，可以看到汤显祖不仅相信人死了可以重生，还相信人有三生，就是过去的一生，现在的一生，未来的一生。杜丽娘在“寻梦”里有一支曲子（〔尹令〕），表达了汤显祖这个观点：

> 那书生可意呵，咱不是前生爱眷，又素乏平生半面。则道来生出现，乍便今生梦见。（她背着春香唱）生就个书生，恰恰生生抱咱去眠。那些好不动人春意也。

这支曲子，表现她看到柳梦梅，好像前生同他有缘分，只说来生出现，怎么今生就梦见。曲子的每一句都有个“生”字，这在古典戏曲里是巧体，恰好完整地表达了杜丽娘见到柳梦梅的心情，句子也写得很漂亮。相信人有三生，这是佛家的思想。他写杜丽娘“生者可以死，死者可以生”，就是从这种思想出发的。这使我想起中国古代有句流行的话：“牡丹花下死，做鬼也风流。”这个作品用《牡丹亭》三字来做题名，可能带有这个意思。杜丽娘在整个戏结束时唱道：“则普天下做鬼的有情谁似咱！”她相信一个人死了还有鬼，做鬼还可以有情，还会多情，这在我们看起来是荒唐的，应该指出它的历史局限性。直到今天，有些偏僻的地方，由于文化水平低，生产发展得不好，生活有困难，有的家长还想利用子女的婚姻来弄钱，还出现男女双双自杀的现象。他们的自杀，有各种社会原因。但在他们头脑里，往往有个想法：“在生不能成夫妇，黄泉路上再相逢。”

“但是相思莫相负”，要求男女双方真正相爱，不要你埋怨她，她反对你。这有利于我们批判某些人在男女关系上的轻举妄动。我们要求男女双方长期相爱，从恋爱到结婚，婚后继续培养感情，把家庭搞好。由于这个意义，这一句曲子还是好的。至于他们认为人死了还可以做鬼，做鬼还可以有情，这样的想法是有害的。

今天，我拉拉杂杂讲了这些话，浪费了大家的时间，并此道歉。

（庐柯据1982年10月26日录音记录整理，并经本人审阅）

明万历四十五年刊本《牡丹亭》

《桃花扇》校注本前言

一

公元1699年，继洪升《长生殿》传奇之后，经过作者孔尚任十余年苦心经营、三次易稿的《桃花扇》传奇脱稿了。当时在南中国各省起兵抗清的前后三藩早已平定，清朝的统治巩固下来了。在清政府利诱、威迫兼施的文化政策之下，被称为“一代正宗”的“望溪文集阮亭诗”[①]，都因才力单薄，为有识者所不满。“南洪北孔”就成为照耀当日文坛的双星。

《桃花扇》传奇是孔尚任通过明末复社文人侯方域与秦淮名妓李香君的爱情故事来反映南明一代兴亡的历史戏。公元1644年李自成的农民起义军攻下了北京，明崇祯帝（朱由检）

① 清袁枚诗：“一代正宗才力薄，望溪文集阮亭诗。”《望溪文集》，方苞著；阮亭诗，指王士祯所写的诗。

在煤山自缢，吴三桂勾引清兵入关，中国黄河以北各省陷入大混乱的状态。这年5月，凤阳总督马士英内结操江提督刘孔昭、南京守备徐弘基，外结靖南伯黄得功、总兵官刘泽清、刘良佐、高杰等，在南京拥立福王（朱由崧），建立了南明王朝。当时南明王朝统辖的中国南部各省都还完好，南京据长江下游形势之地，是明代二百多年的陪都所在，对南方各省还有一定程度的号召力量。清人入关之初，兵力不过十多万，占地不过关外辽东一带和河北、山东的部分州县。在这样双方形势对比之下，当时中国人民对于南明王朝的最高期望，是激励人心，出师北伐，收复失地，重新在全中国建立汉族的统治权。即使办不到这一步，也希望它能够稳定内部，坚守江淮，徐图恢复。可是南明王朝建立之后不久，清兵即渡河南下，列镇望风迎降，扬州失守，南京跟着陷落。这曾经一度为中国人心所属望的南明政权，仅仅支撑了一年，就土崩瓦解，不可收拾。后来南方的中国人民虽先后拥立鲁王、唐王、桂王等抵抗清兵，但比之南明王朝建立初期，形势已大相悬殊，终于为清兵所各个击破。为什么南明王朝会这样快地覆灭呢？明末清初的不少文人、学者曾经企图根据当时的历史事实加以说明，而孔尚任的《桃花扇》则是要求通过舞台艺术形象揭示出南明王朝没落的必然性的。

二

作者是怎样通过舞台艺术形象揭示了南明王朝没落的必然性的呢?

在《桃花扇》传奇一开始的时候，作者就在我们面前展开了复社文人陈定生、吴次尾等对魏阉余孽阮大铖的斗争。这实际是明代从万历、天启以来统治阶级内部长期派系斗争的继续。代表统治阶级内部最腐朽黑暗的势力的阮大铖，正在等待时机，重新起来执政。以陈定生、吴次尾为领袖的复社文人，在政治上继承东林党的主张，有他们进步的一面。然而他们在“中原无人，大事已不可问”的时候，依然流连风月，买醉征歌，这就通过舞台上的人物活动，说明他们不可能担当起挽回国家危急形势的艰巨任务。

跟着复社文人对阮大铖的斗争而来的是为了建立南明王朝而引起的统治集团内部的争论。以马士英、阮大铖为首的魏阉余孽勾结江北四镇，企图迎立福王。为复社文人所拥护的史可法、左良玉都曾表示反对，没有成功。福王即位，马、阮当权，他们一面卖官鬻爵，尽量搜刮，来满足他们荒淫无耻的生活；一面缇骑四出，捉拿东林、复社党人，企图一网打尽，使这新建立的王朝愈来愈离开了人民，也愈走向没落。《桃花扇》第二十五出，写福王当北兵即要南下时，他所关心的只是怎样在宫中选优演戏，及时行乐。第三十六出写马士英、阮大铖在南明即要灭亡的前夕，还念念不忘他们的“一队娇娆，十车细软”，十分深刻地写出了这统治集团已经到了不可救药的地步。

当时南明王朝所赖以守御江北的是黄得功、高杰、刘良佐、刘泽清等四镇，所赖以镇守上游的是左良玉的兵力。由于这些部队本身的腐朽和统治集团内部无可调和的派系矛盾，终于使他们的力量在内战里面自相抵消。当史可法出守扬州、满心希望出兵北伐时，江北四镇将领就为了争夺扬州地盘，起了内讧（“争位”出）。后来经过史可法的苦心调停，高杰也自知寡不敌众，才同意离开扬州，前往开洛防河（“移防”出）。高杰引兵北上之后，为睢州镇将叛徒许定国所暗算（“赚将”出）。剩下黄、刘三镇又为了统治集团内部派系的斗争，被马士英、阮大铖等调去阻塞左良玉兵东下，河淮一带，千里空虚。因此当清兵南下时，只留下史可法一支孤军，困守扬州。扬州一失，南明王朝也就跟着覆亡了。

当吴三桂勾引清兵入关、民族危机间不容发的时候，摆在南明王朝面前的主要任务，是缓和统治阶级内部的矛盾和统治阶级与人民之间的矛盾，同心同德，共同对付当前最大的敌人。可是由于明代统治阶级在当时已经十分腐朽，代表这个腐朽统治阶级的人物，不论文官、武将，都只知道尽量向人民搜括财富供自己荒淫享乐。因此由这些代表人物所组成的南明王朝内部，除了彼此争夺派系的、个人的利益之外，是不可能从国家的共同利益出发，团结一心，来对付南下的清兵的。夏完淳《续幸存录》说："朝堂与外镇不和，朝堂与朝堂不和，外镇与外镇不和，朋党势成，门户大起，虏寇之事，置之蔑闻。"吴伟业《清忠谱序》说："甲申之变，留都立君，国是未定，顾乃先朋党，后朝廷，而东南之祸亦至。"这是南明王朝覆灭的根本原因。读过《桃花扇》的人同样可以从传奇里所塑造的一连串艺术形象引出这样的结论。

当时在南明统治集团内部比较贤明的人物并不是没有，传奇中所写的史可法就是在这方面有代表性的人物。然而由于整个统治集团在走向腐朽、没落，他在这个统治集团内部的地位，也就愈来愈陷于孤立。《桃花扇》传奇演南明王朝建立之后，史可法即因为马士英所忌，出守江北。到他镇守扬州之后，江北四镇将士又因早就与马士英勾结，不听他的指挥。明末清初有些历史作者也看到了史可法才能短绌的一面；然而重要的并不是史可法个人才能的问题，而是当时整个形势使史可法的才能不可能得到发挥的问题。传奇第十八出当四镇将士为争夺扬州而自相水火时，史可法只能写一张告示来调停，效果当然不大的。第二十六出写史可法死守扬州时，只能以痛哭流涕激励部下，也不能挽回危局。然而作者已经通过一连串的戏剧行动，把史可法当时的处境揭示给读者：他上不得朝廷的信任，下不能指挥诸将，剩下部下的三千残兵，也同样受了这腐朽统治集团的影响，军心动摇；那他除了痛哭流涕、决心以一死报国之外，就很少有别的道路可走了。

南明王朝内部派系之间的尖锐矛盾；马士英、阮大铖等亡国士大夫的荒淫无耻，倒行逆施；史可法的困守扬州，孤忠无助：它们从不同方面说明南明王朝没落的必然性。这些历史现象，在《桃花扇》传奇里得到了集中而完整的反映。

清人自称他们的代替明朝统治是天命所归；自夸他们兵力的强大为汉族人民所无法抵抗。《桃花扇》作者根据可靠的历史事实，通过舞台艺术形象，揭示南明亡国的根本原因，在于王朝的昏庸腐朽，引起内部的分裂，不能一致对外，这就使人们有可能从这一巨大历史事件里接受有益的经验教训，揭穿了清朝统治者的种种欺骗宣传。同时由于戏中人物的艺术感染力量，人们同情史可法、左良玉等的遭遇，痛恨马士英、阮大铖等的弄权，刘良佐、刘泽清、田雄等的降敌，这就不能不引起他们对于前明亡国的深切怀思。《桃花扇》的爱国主义精神，也即作者所说的“兴亡之感”，主要表现在这些方面。

三

然而《桃花扇》不是历史教科书，作者在创作上所遇到的最大困难，是怎样通过当时流行的戏剧形式——传奇来反映南明的历史。既然是传奇，就需要通过剧中男女主角的离合悲欢，把南明一代的兴亡串联起来演给观众看。“借离合之情，写兴亡之感，实事实人，有凭有据。”（“先声”出）正是作者在这方面的最好的自白。

那么作者是怎样借传奇中男女主角侯方域、李香君的离合之情，写南明一代兴亡之感的呢？

《桃花扇》传奇中的女主角李香君是明末南京秦淮名妓。作者在第二出最初介绍这个人物时就给我们一个与一般妓女不同的印象。她色艺非凡，曾得到当时复社领袖人物张天如、夏彝仲等的赞赏；她的师傅苏昆生又是在复社文人声讨阮大铖之后，坚决离开了阮家来教她歌曲的。我们从后来她在戏剧里所表现的一连串行动看，这些最初跟她接触的人物，对她的生活态度是起了正面的影响的。

明末东林、复社文人由于在政治上有比较进步的主张，跟以魏忠贤为首的阉党官僚展开了一连串的斗争，赢得了东南各大都市人民的好感[①]，也受到歌台舞榭里那些丧失了人身自由的女子的欢迎。我们试看《板桥杂记》所记冒辟疆、方密之、陈定生等复社文人与秦淮名妓来往的事迹，及秦伯虞题《板桥杂记》诗“慧福几生修得到，家家夫婿是东林”的句子，可以看出当时秦淮歌伎对东林、复社文人的倾慕。李香君既受到复社领袖人物张天如、夏彝仲的赞扬，她师傅苏昆生又是坚决反对阮大铖的人物，那当她跟侯方域结合之后，为了侯方域，也为了她自己的前途，把侯方域从阮大铖与杨龙友所做成的圈套里挽救出来，是完全可以理解的。“却奁”这场戏的重要意义，在于它生动地反映了秦淮歌伎与复社文人的关系。这除了男女双方在才华上、容貌上互相倾慕外，还在政治态度上互相影响。这是在《桃花扇》以前的儿女风情戏里所少有的。

李香君在出色地演出了“却奁”这一出戏之后，不但成为侯方域的“畏友”，同时还赢得复社文人普遍尊敬。然而，这对于那要收买她来拉拢侯方域的阮大铖说，真是“赔了夫人又

---

① 《明季北略》二卷杨涟条，记东林党人杨涟被逮时，“都城士民数万拥道呼号”。《碧血录》记东林党人魏大中被逮时，“士民号恸者势几万人”。周顺昌被逮时，“百姓夹道执香，哭声干云”。《复社纪略》二卷记刘士年知太仓州事被劾去位时，“倾国数十万人为之罢市”。

折兵”，他的老羞成怒，是势有所必至的。就这样，作者通过“传歌”“眠香”“却奁”等几场戏，逐步把这戏中的女主角推向当时统治阶级内部派系斗争的尖端。

当南明王朝建立之后，由于这个王朝是建立在极端腐朽的统治基础之上的，这王朝的代表人物，从福王由崧以至马士英、阮大铖、田仰等，他们所追求的是一种荒淫无耻的生活。李香君是一个以色艺著称的秦淮歌伎，她的名气愈大，这个腐朽统治集团里的人物，就越要千方百计地把她抢夺过来，作为自己玩弄的对象。然而李香君由于过去在对阮大铖的斗争中，曾经为侯方域及复社文人所器重；为了复社，也为了她自己的前途，她自然要坚守妆楼，等待侯方域的到来，拒绝了南明统治集团里的人对她的追求。就这样，作者把李香君为了本身幸福所进行的斗争，跟当时统治阶级内部的政治斗争很自然地结合起来。传奇中第十七出总批说：“南明用人行政之始，用者何人。田仰也；行者何政，教戏也。因田仰而香君逼嫁，因教戏而香君入宫，离合之情又发端于此。”正确地指出了香君的不幸遭遇是与南明腐朽王朝的政治措施密切相关的。

作者所以采用侯方域赠给李香君的诗扇作为全部戏曲的主要线索，用意是深刻的。这诗扇本是侯方域与李香君定情的表记，在当时习俗，它是象征着男女双方的全部爱情的，因此它就有可能把有关侯、李双方的爱情关系贯串起来。从另一方面看，侯、李双方的结合是当时封建统治阶级内部政治斗争的一个小插曲，而李香君在这次政治斗争中一开始就表现了十分鲜明的态度，这就埋伏了后来马士英、阮大铖等对她迫害的祸根。传奇第二十一出写阮大铖怂恿马士英去强逼香君嫁给田仰时说："当年旧恨重提起，便折花损柳心无悔。那侯朝宗空空梳拢了一番，看今日琵琶抱向阿谁？"这就说明阮大铖等的迫害香君，还含有对复社文人进行报复的意图。那李香君的以诗扇做武器，抗拒了阮大铖等对她的迫害；最后更不惜血溅诗扇，以死守楼：不仅表现了她对爱情的坚贞，同时也挫败了阮大铖借此对复社文人进行报复的卑鄙企图。这样，通过这把诗扇，又有可能把南明复社文人对魏阉余孽的斗争联系起来。

从"却奁"到"骂筵"，作者通过一连串的戏剧行动，发展了香君性格中优秀的一面，塑造了各种动人的舞台艺术形象，揭示她在当时政治斗争中的鲜明态度。

> 堂堂列公，半边南朝，望你峥嵘，出身希贵宠，创业选声容，后庭花又添几种，把俺胡撮弄，对寒风雪海冰山，苦陪觞咏。
>
> ——《骂筵》出〔五供养〕曲

东林伯仲，俺青楼皆知敬重。干儿义子从新用，绝不了魏家种。冰肌雪肠原自同，铁心石腹何愁冻。吐不尽鹃血满胸，吐不尽鹃血满胸。

——同上出〔玉交枝〕曲

这里正是香君这个受南明统治集团重重压迫的人物，代表了当日广大人民对马、阮等权奸进行有力的鞭挞。

作者写香君坚决拒绝马、阮等权奸对她的迫害，坚守她对侯方域的爱情，还是从她本身生活出发的。传奇第二出“传歌”，当香君刚刚在戏中露面、她的假母李贞丽要她温习新腔时，她皱着眉头说：“有客在座，只是学歌怎的？”这里已透露出她对自己处境的不满。由于她在当时是一个失去了人身自由的歌伎，从她自己所熟习的生活里，她完全可以想象得到，十倍于此的难堪境遇正在后面等待着她。因此当她跟侯方域结合，并因而受到侯方域以及其他复社文人应有的尊重以后，坚决选择了她自己所认为比较美满的道路，拒绝了阮大铖、田仰等为她布置好的一个新的圈套，是丝毫也不足奇怪的。传奇第二十三出“寄扇”有着这样的一段对白：

杨龙友：你有这柄桃花扇，少不得个顾曲周郎，难道青春守寡，竟做个入月嫦娥不成？

李香君：说那里话，那关盼盼也是烟花，何尝不在燕子楼中，关门到老！

苏昆生：明日侯郎重到，你也不下楼么？

李香君：那时锦片前程，尽俺受用，何处不许游耍，岂但下楼？

这就说明李香君的苦守妆楼，正是为了她自己所憧憬的一个美满幸福的前景。这样刻画香君，才是合情合理，有血有肉，而不是作者主观概念的化身。

侯方域比之李香君有他软弱的一面，他最初的梳拢香君，不过是一种名士风流，借此消遣春愁的行径；“却奁”一场更在阮大铖、杨龙友的巧言利诱之下，在政治上表现了动摇。然而他毕竟是当时统治阶级里比较进步的政治集团的重要人物，因此当他被香君提醒之后，即坚决地跟阮大铖决裂，积极参加了南明王朝建立前后的各种政治活动，企图对当时的危急形势有所补救。然而由于马、阮的当权，四镇的专恣，高杰的有勇无谋，左良玉的不学无术，他在政治上的一切活动并没有收到效果。结果，他不但不能庇护香君，连自己也受了阮大铖的迫害，锒铛入狱。这不仅是侯方域个人的悲剧，同时关系着南明一代的兴亡。

四

为什么作者能在当时写成这样一部出色的“借离合之情，写兴亡之感”的历史戏呢？这除了当清朝统治已经巩固下来、人们痛定思痛、要求从南朝一代的兴亡里取得历史教训外，还可以从我国戏剧发展的本身得到说明。

远在明代嘉靖、隆庆年间，约公元1570年，著名戏曲作家梁辰鱼的《浣纱记》，即通过范蠡与西施的爱情故事，串演了春秋时期吴越两国兴亡的全部历史。到了明亡之后，吴伟业的《秣陵春》，假托南唐学士徐铉之子徐适与南唐临淮将军黄济之女黄展娘的爱情故事，来抒发作者对于南明亡国的感慨。比孔尚任稍早的作家洪升的《长生殿》，通过唐玄宗与杨玉环的宫廷生活，把唐代天宝前后盛极而衰的政治历史表演出来，同时寄托了作者对于明代亡国的深沉怀念。我们撇开某些关目的类似不谈，单就它们通过戏中男女主角的悲欢离合来演出一代兴亡这一主要内容说，无疑地给《桃花扇》作者孔尚任以一定程度的启发。

大约在与《浣纱记》写成的同时，我国戏曲史上出现了一本直接描写当代政治上派系斗争的历史戏《鸣凤记》。这本戏里的部分情节，孔尚任曾在《桃花扇》第二十四出里加以引用。到了明末清初，比孔尚任早一辈的重要戏曲作家李玄玉的《一捧雪》《清忠谱》先后在舞台上演出。这两部戏除了揭露明代权奸严世藩、魏忠贤等的丑恶嘴脸，表彰戚继光、周顺昌等的义烈行为之外，还成功地塑造了几个参与斗争的小人物，如《一捧雪》里的雪艳娘，《清忠谱》里的颜佩韦等。这些我国戏曲史上的重要著作，不论就题材的选择或人物的塑造说，同样给孔尚任的《桃花扇》传奇以相当深刻的影响。

从明代嘉靖、隆庆年间到清代康熙年间，是我国从元代以后另一个戏曲史上的重要时期。这一时期古典戏曲现实主义精神的发展，主要表现在一些把个人命运跟国家重大政治事件接合起来的历史戏上。从《浣纱记》到《长生殿》，这是它发展的一个方面，它们同样是通过戏中男女主角的悲欢离合，串演前代兴亡的历史的。然而这两部戏曲所根据的有不少是古代的神话传说，因此还不是比较严格的历史戏。从《鸣凤记》到《清忠谱》，是它发展的另一方面。这两部戏曲同样是表现当代政治上的派系斗争的，它们对于历史事实的表述比较忠实；而缺少戏曲艺术上集中、提炼的功夫，尤其是《鸣凤记》。孔尚任的时代，紧接着这些优秀作家之后，在他长期的创作活动上接受了他们有益的经验，避免了他们的缺点。

因此能够写出既忠实于客观历史事实而艺术成就又极其辉煌的《桃花扇》传奇，把我国古典戏曲现实主义精神引向更高的阶段。

孔尚任在《桃花扇凡例》里说："朝政得失，文人聚散，皆确考时地，全无假借。至于儿女钟情，宾客解嘲，虽稍有点染，亦非乌有子虚之比。"原书有"考据"一篇，列举他传奇中许多重要历史事实所根据的文献资料。此外如香君诨名香扇坠，南京谚语讽刺马士英"养马成群"，王铎以乌丝栏写《燕子笺》传奇，这些偶然在戏中提到的无关紧要的事实，也都是得之见闻，确然有据的。"赚将"出写许定国妻子侯氏设计杀了高杰，原书眉批说："康熙癸酉，见侯夫人于京邸，年八十余，犹健也，历历言此事。"康熙癸酉，为公元1693年，孔尚任正在北京任国子监博士。可见这一出所根据的素材，是他向当事人直接访问得来的。孔尚任生于清初考据学极盛时期。清初考据学家以实事求是的态度研究经史之学，这种态度在孔尚任的戏曲写作上也有所表现。

然而孔尚任如果仅仅忠于客观历史事实，而对于这些历史人物没有强烈的爱憎，加以突出的刻画，那是不可能这样成功地塑造一连串舞台艺术形象的。因此我们还必须注意到作者另一方面的写作态度，即根据这些历史人物性格的特点，如史可法的忠心为国，杨龙友的随波逐流，阮大铖的阴险谄媚，有意识地加以美化或丑化，使观众感慨涕零，收到“惩创人心，为末世之一救”[1]的社会效果。作者在传奇第十出里曾借柳敬亭的说书开篇，表示了自己这一方面的意见：

这些含冤的孝子忠臣，少不得还他个扬眉吐气；那班得意的奸雄邪党，免不了加他些人祸天诛。此乃补救之微权，亦是褒讥之妙用。

第二十四出“骂筵”，还通过马士英、阮大铖等的现身说法，表示作者是要利用戏曲这种文艺武器，干涉人生，警戒无忌惮的小人的。

一面继承了我国戏剧善恶分明、爱憎强烈，“公忠者雕以正貌，奸邪者刻以丑形”[2]的优秀传统；一面尽可能地忠实于历史事实，使读者不仅当作艺术作品欣赏，而且当作有借鉴意义的历史事件来看待；这是《桃花扇》传奇所以成为我国历史上一部划时代的历史戏的又一原因。

---

① 引语见《桃花扇小引》。

② 引语见《梦粱录》。

五

《浣纱记》《鸣凤记》等历史戏的出现，标志着中国戏剧史上一个新的时期的开始；然而这两个戏也有着共同的缺点，就是人物太多，头绪太繁。《桃花扇》揭示给读者的是明代覆亡前夕的整个社会面，它反映现实的深度与广度，都超过了在它以前出现的历史戏；然而在人物方面很难找出哪一个是多余的或来龙去脉不清的。这不但见出作者十分谨严的创作态度，同时表现了作者对现实进行艺术概括的才能。

在人物处理上，作者首先根据“借离合之情，写兴亡之感”这个主题，分清人物之间的不同态度与主次关系。原书上卷有“纲领”一篇，分戏中人物为左、右、奇、偶、总五部。左、右两部以正生侯方域、正旦李香君为主，组织了直接与他们有关的人物。如左部的陈定生、吴次尾、柳敬亭，右部的李贞丽、杨龙友、苏昆生等共计十六人，来表现戏中男女主角的离合之情。奇、偶二部，以效忠明朝的正面人物史可法、左良玉、黄得功等为中气，昏淫的弘光帝，权奸马士英、阮大铖等为戾气，卖国求荣的田雄、刘良佐、刘泽清等为煞气，共计十二人，表现了他们在当时政治斗争中的不同态度，来反映南明一代的兴亡。总部以张瑶星、老赞礼为传奇的一经一纬，总结了全戏的离合之情、兴亡之感。此外许多在当时政治斗争中起过重要作用的人物，一般只采取补叙或侧面反映的手法来表达。如复社三公子中的冒辟疆、方密之，只从阮大铖家人口中传出他们在鸡鸣埭饮酒听曲的情况（“侦戏”出）。五秀才中的刘城、沈士柱、杨廷枢、沈寿民，除在“哄丁”出以杂色登场外，只从柳敬亭口里提到马士英、阮大铖等要逮捕他们（“会狱”出）。这是作者在戏剧创作上集中人物，减少头绪的例子。

作者在已经集中的少数人物之中，依然要分清主次，选择最有代表性的来重点描写。除戏中正生侯方域、正旦李香君外，对当时政治上正面人物，着重描写了史可法、左良玉，而史可法又是更主要的。反面人物着重描写了马士英、阮大铖，而阮大铖的形象又显得更其丑恶。戏剧里正面或反面人物，除了有他们共同的特征外，彼此之间又有差异，这就是人物分寸的问题。试以马士英、阮大铖为例，他们同是南明王朝内部最腐朽的人物。马士英有权有势，爱人趋奉，但才能比较平庸。阮大铖在政治上没有马士英的权势，但是一个“才足以济奸”的阴谋家。马士英没有阮大铖的暗中指使，寸步难行。阮大铖失去了马士英的凭借，也无法实现他的阴谋。作者不但注意了这两个人物营私结党、腐朽荒淫的共同特征，同时掌握了他们之间的不同分寸；这就成功地塑造了这两个舞台艺术形象。

在传奇里性格最为复杂、处理比较困难的是杨龙友①。杨龙友能诗善画，风流自赏，跟复社文人侯方域、秦淮名妓李贞丽有往来。然而另一方面，他又是马士英的亲戚，阮大铖的盟弟，当马、阮得势时，为了做官，也乐于向他们靠拢。作者在处理这个在南明派系斗争中关系相当复杂的人物时，一直是分寸掌握得很紧的。

杨龙友最初为了赏识李香君的才色，想帮衬她与侯方域成就好事。后来他听了阮大铖的话，又想利用李香君，为阮大铖拉拢复社文人。正是由于他除了为阮大铖拉拢复社文人之外还有一个为佳人物色才子的比较善良的动机，在“却奁”一场之后，他对侯方域、李香君虽然有所不满；但在紧要关头，即危

① 根据侯方域写的《李姬传》，在南京企图为阮大铖拉拢侯方域而为李香君所识破的是一个不知名字的王将军，作者把这情节归之于后来为香君画扇的杨龙友，是为了集中人物，减少头绪。既然在戏里由杨龙友演出这情节，就应该按照杨龙友这个特定历史人物的性格重新处理，不能简单地把《李姬传》里的王将军原封不动地由杨龙友代演。这些地方可以看出作者在对《桃花扇》传奇的素材进行艺术构思时的现实主义精神：他是在掌握大量的历史文献和材料的基础上进行艺术加工；是忠于历史事实，而又不为历史事实所拘束的。有些读者就传奇中个别情节不符合当时某些历史著作，加以指责，不知这些地方往往正是表现了作者惨淡经营的苦心。

及侯方域或李香君的生命时，他还是出力保护他们。这在“辞院”“媚座”“守楼”“寄扇”“骂筵”“题画”等出里都可以看到。

传奇中阮大铖与杨龙友同时出场的次数不少。但作者从没有把他当作同样的反面人物处理。“辞院”出写阮大铖在清议堂诬蔑侯方域暗中勾引左兵东来时，杨龙友即替他辩护。下场时，马士英要杨龙友同行，杨龙友辞了他，而阮大铖即借此时机，拉拢了马士英。又如“媚座”出当马士英要派人去强娶李香君送给田仰时，杨龙友怕太难为了她，阮大铖却恨不得把她处死。正由于作者善于掌握人物的不同分寸，他所塑造的才是活生生的艺术形象，而不是一个模型里印出的东西。

就人物刻画的细致说，《桃花扇》也有它独到的地方。如“却奁”一出，李香君因杨龙友为她办了许多妆奁，一定要“问个明白，以便图报”。因为香君出身青楼，知道这些老爷不会毫无目的地浪掷他们处心积虑地压榨得来的人民脂膏的。侯方域是个豪华公子，金钱来得易，去得易，就只说“承情过后，也觉不安”。口角之间稍有不同，就揭出了他们的不同心理状态。又如“迎驾”一出，写阮大铖料事如神，可是在“选优”一出里，弘光帝为了没有声色之奉，闷闷不乐，要阮大铖猜他心事，阮大铖故意屡猜不着，到最后还低头沉吟说："圣虑高深，臣衷愚昧，其实不能窥测。"这就更细致地刻画出阮大铖表面假作痴呆，骨子里别有用心的阴邪性格。

六

在关目处理上，作者首先抓住了与《桃花扇》直接相关的侯、李离合之情，作为传奇的中心线索；再联系这条中心线索，展开了南明一代兴亡的场景。传奇从第一出"听稗"到第六出"眠香"，主要在写侯、李的结合，同时展开了复社文人对阮大铖的斗争，因为侯、李的结合实际上是这一政治派系斗争所促成的。从第七出"却奁"到第十二出"辞院"，主要在写侯、李的由合而离，牵入了左兵的东下就粮（"抚兵"出），侯方域的修书劝止（"修札"出），柳敬亭的携书投辕（"投辕"出）。因为侯方域这一方面的活动成为马、阮攻击他的借口，逼他不得不离开香君往投史可法。从第十三出"哭主"到第十六出"设朝"，是南明兴亡的关键。由于为复社文人所拥护的史可法一派在这次斗争里的失败，这就成为后来侯、李两人遭受种种迫害的张本。下文从第十七出"拒媒"到第三十出"归山"，分两条子线交互发展。一条子线以香君为中心，通过马、阮等权奸对香君的迫害，揭示了南明统治集团腐朽的本质，同时表现香君对爱情的坚贞。一条子线以方域为中心，联系了四镇的内讧，高杰的被杀，马、阮等权奸的大捕东林、复社党人，为后来南明王朝内部矛盾进一步激化的张本。从第三十一出“草檄”至第四十出“入道”，写侯、李在江山无主、风景全非的情况之下，又由离而合。同时写左良玉为援救复社党人，声讨马、阮，马、阮调黄、刘三镇兵去防御，史可法困守扬州，孤立无助，直接带来了南明覆亡的后果。此外上本开首试一出“先声”，下本开首加一出“孤吟”，是上下本的序幕；上本末了闰一出“闲话”，是上本的小结场；下本末了续一出“余韵”，是全本的总结场。用这样的关目处理来加紧全剧的结构是前代的传奇里所没有的。然“孤吟”一出深得董解元“西厢记诸宫调”开篇的遗意，“余韵”一出神情上跟《浣纱记》末出“泛湖”相通，这些地方还是作者创造性地学习前人的结果。

元人白仁甫的《梧桐雨》杂剧根据白居易《长恨歌》的精神，上半极力描写唐玄宗、杨玉环的情话缠绵，唐宫的热闹场景，强烈地反衬出后来马嵬坡的生离死别，唐宫的夜雨凄凉；这在不同程度上给后来写历史兴亡戏的传奇作家以启发。孔尚任更有意识地掌握了这一点来加强《桃花扇》传奇的悲凉气氛。传奇“听稗”出〔解三酲〕曲：“暗红尘霎时雪亮，热春光一阵冰凉。”已透露了这种用意①。后来在“修札”出里更借柳敬亭与侯方域的对白，指出“那热闹局就是冷淡的根芽，爽快事就是牵缠的枝叶”。传奇上本写侯、李那样旖旎风光的生活，正为后来他们的凄凉岁月埋伏下根芽。下本写弘光帝的选优演戏，马、阮的赏雪观梅，传歌开宴，也招致了国破家亡的后果。作者的艺术构思，正是从他所谓“热闹局就是冷淡的根芽”这一现实认识出发的。

然而另外一面，作者从“爽快事就是牵缠的枝叶”这一看法出发，认为陈定生、吴次尾等复社文人对阮大铖等的斗争未免太厉害了，因此牵引起后来一连串的党祸。顾天石的《桃花扇序》已指出了这一点，作者在“哄丁”“闹榭”等出的关目处理上，也表现了他这一看法。然而复社文人当时所必须首先团结的是南明政治上军事上比较进步的人物，而不是阮大铖等阉党余孽。正由于复社文人以及他们所拥护的史可法、左良玉等还没有做好这一方面的内部团结工作，因此当南明王朝建立时，被马士英、阮大铖等抢先了一步，掌握了中枢的政权。后来当左良玉引兵东下声讨马、阮时，先是遇到何腾蛟的反对，

① 原书此处批语：“此《桃花扇》大旨也，细心领略，莫负渔郎指引之意。”

后又遭到黄得功的阻击，终于不能取得胜利；而不是由于复社文人对阮大铖的斗争过于厉害，因而引起党祸牵缠的问题。就这方面说，作者在开首几场戏的处理上多少留下了缺陷，容易使有些读者误认为阮大铖等阉党的倒行逆施是复社文人对他们过火斗争的结果。

此外，作者在剧情处理上还有两点值得我们注意。一是针线的细密，就全部传奇看，各个情节的发展，可以清楚地看出它们先后之间的联系：前面情节为后面情节的张本，后面情节为前面情节的照应，连环相牵，互相生发。这不但在重要关目的处理上是如此，即剧中许多极其微细的地方，也都细针密线，一丝不落的。如第二十出写侯方域到蔡益所书坊里访问陈定生、吴次尾，因而一起被捕。在第一出侯方域上场时就先说陈、吴两人住在蔡益所书坊，与他时常来往。第三十四出苏昆生说自己与黄得功有一面之缘，要替左良玉去劝说他，在第五出里就先提到黄得功祭旗，要约苏昆生、柳敬亭吃酒。传奇第八出总批说："左部八人未出蔡益所而其名先标于第一折，右部八人未出蓝田叔而其名先标于第二折，总部二人未出张瑶星而其名先标于开场，直至闰折始令出场，为后本关纽。后本二十八、二十九、三十折，三人乃挨次冲场，见述脚色。"这些地方可以看出作者细针密线的功夫。

其次是转换的灵活。在剧情处理上作者如只注意到情节发展的必然关系，而不注意到它们中间所可能发生的偶然因素；那将使戏中人物都像机器一样，只能按着重复刻板的公式行动，而不能真实地表现现实生活的丰富性与复杂性。传奇第一出“听稗”，侯方域本来约好和陈定生、吴次尾到冶城道院同看梅花，哪知半途遇到家童，说魏府徐公子要请客看花，道院早被占了。这时侯方域就建议到秦淮一访佳丽，而陈、吴二人则主张去听柳敬亭说书。侯方域说柳麻子是阮大铖的门客，不愿去听，吴次尾说他写了“留都防乱揭帖”声讨阮大铖，柳敬亭才知道阮胡子是魏阉余党，拂衣而去。通过这一转折，补叙了前一阶段统治阶级内部的派系斗争，同时还介绍了徐公子的豪华生活，柳麻子的侠义性格，映带后面许多情节。传奇第二出“传歌”，杨龙友去访李香君，看到四壁许多名人的题赠，本想和韵一首，沉吟了一会儿，觉得自己做他们不过，还是画几笔墨兰吧。后来看见蓝田叔在壁上画的拳石，就在拳石旁画了几笔兰花。经过这一转折，一面介绍了杨龙友的画笔，为后来在香君宫扇上点染桃花张本，同时还预先把后来寄居媚香楼的蓝田叔介绍给读者。又如“访翠”出，柳敬亭陪侯方域去访李香君，偏偏碰到她去参加盒子会去了。“修札”出侯方域正想听柳敬亭说书，杨龙友匆匆而来，说左良玉引兵东下，要抢南京。这些地方都见出作者在剧情处理上的善于转折变换，使读者看了上一节，不能预拟它下一节。作者在“凡例”里自说在排场处理上“俱独辟境界”，他对于当时戏剧写作上的公式化倾向是有意通过创作实践跟它斗争的。如“激将法”在当时戏曲里已成为滥套，作者在“修札”出里当侯方域要用此法来激柳敬亭时，柳敬亭当场拆穿了他，这就给人一种新鲜的感觉。又如生旦当场团圆已成传奇的惯例；作者写侯、李二人经过种种波折，才得相逢，又因张道士一声棒喝，彼此憬然大悟，撒手分离。然而就前一情节说，它是从柳敬亭的性格出发的（柳敬亭以说书擅长，诸葛亮的激张飞，宋公明的激李逵，早就烂熟的）；就后一情节说，它是切合侯、李两人在国破家亡以后的特殊境况的。从传奇里所表现的侯、李两人的全部斗争历史看，他们所热烈追求的除了双方爱情上的美满外，还有他们更大的政治上的抱负；因此经过张道士的一番指点，他们即憬然大悟，是完全可以理解的。正由于作者在情节处理上从人物的不同性格与特定环境出发，这才能“种种出奇而不失之怪”[1]，在创作上表现高度的现实主义精神，突破了当时传奇家的公式与滥套。

---

① 这里借用李开先评乔梦符语。

孔尚任是孔子第六十四代孙子，他在写戏上自比孔子的“正雅颂”，而在历史人物评价上又自比孔子的“作春秋”，所谓“春秋笔法”。如作者在第二出李贞丽出场时，说有个马士英的妹夫、阮大铖的盟弟杨龙友常到院中来；他的用意是让这两个奸臣的姓名首先从老鸨口里说出，表示对他们的贬斥。又如作者在第二十四出里，从阮大铖口里说出王铎补内阁大学士，钱谦益补礼部尚书，用意也是对钱、王两人的鄙弃。这些地方未免用意太深，就戏剧说，不是很适合的。

七

就曲词、宾白说，作者有一套完整的写作方法，具见于原书“凡例”第五至第十二各条。这里可以就他在传奇里所表现的，扼要加以说明。

（一）曲文、说白，各有职司，位置得当，给人一种骨肉停匀的感觉。作者在“凡例”里说：“词曲皆非浪填，凡胸中情不可说，眼前景不能见者，则借词曲以咏之。若应作说白者，但入词曲，听者不解，而前后间断矣。”这就严格地区别了词曲与说白的不同作用。即凡描摹人物的环境（眼前景）与内心活动（胸中情）时用词曲。一般事实的说明，情节的交代，要通过说白表现。这就作者全部剧作来检验，随处可以得到印证。

由于作者从戏曲所要表达的内容出发，对哪些地方用说白、哪些地方用词曲，有比较明确的界限。因此在曲文、宾白的安排上较为匀称合度。作者在“凡例”里自说每长出只填八曲，短出只填四曲或六曲。这一方面是为了适合腔长拍缓的昆曲流行以后舞台上演唱的要求；一方面也由于作者把曲词的作用严格地限制在“眼前景不可见，胸中情不可说”的表达上，每出填的曲子自然要比一般传奇少了些。

（二）作者注意到了曲文风格与戏情的一致性。如“传歌”“访翠”“眠香”等出，写儿女风情，许多曲文都表现了秀艳温柔的格调。“哭主”“誓师”“沉江”等出，写南明政治上重大事变，许多曲文都带着激昂慷慨的声情。就曲词切合人物声口说，多数地方表现得很好。如“听稗”出侯方域唱的〔恋芳春〕一曲，“投辕”出柳敬亭唱的〔新水令〕一曲，“骂筵”出阮大铖唱的〔缕缕金〕一曲，都是一开口即“如闻其声，如见其人”的。然而作者在这方面还是存在缺点的。如“听稗”出柳敬亭唱的〔懒画眉〕前腔，有“春雨如丝宫草香，六朝兴废怕思量”等句，与这个在传奇里一贯表现江湖豪侠之气的人物声口不类。“哭主”出左良玉上场时唱的

〔声声慢〕，有“逐人春色，入眼晴光，连江芳草青青”等句，也不合这个出身行伍的武将的粗豪性格。

（三）作者在“凡例”里主张词曲要写得“词意明亮”，这是对的。我们从作者在《桃花扇》里许多写得较为流畅的词曲来检查，已基本上克服了从明代中叶以来梅禹金、屠赤水一派的典丽作风。然而另外一面，作者又主张制曲要“一首成一首之文章，一句成一句之文章”，主张在词曲中用典要“信手拈来，不露饾饤堆砌之痕”，这就说明他的“词意明亮”，只是就书本上的功夫说，还不可能像关汉卿、王实甫等作家除了从许多优秀的古典诗词里汲取有用的词汇外，还从人民口头上直接提炼语言，加强了曲子的表达力量。在说白方面，作者主张“宁不通俗，不肯伤雅”，也使戏中许多净、丑宾白，丧失应有的泼辣与机趣。

总之，《桃花扇》传奇在语言运用上给我们的总的印象是典雅有余，当行不足[①]；谨严有余，生动不足。剧中许多曲词，我们在书房里低回吟咏，真觉情文并茂；而搬到舞台上演唱，不见得入耳就能消化，这实际上表现了明清之间文人剧作的共同特征。

---

① 当行，指合于戏曲这个行业的要求。

我国从明代中叶到清初，是文人写戏曲的极盛时期。从徐渭、梁辰鱼到李渔、李玄玉，他们写出了不少优秀的戏曲，同时也在创作实践上丰富了戏曲的理论知识，提高了戏曲的理论水平。《桃花扇》传奇不但在戏曲创作上接受了前人的丰富经验，成为划时代的巨著；即原书“凡例”及每出眉批、总批[①]，也为今天研究中国戏曲的人提供了丰富的理论知识。然而作者虽自定“凡例”，而不为“凡例”所拘（如“闲话”出全用说白，“孤吟”出全用曲词，“劫宝”出没有下场诗）；重视前人经验，而不为前人经验所限。作者在“凡例”里自称全剧布局“能脱去离合悲欢之熟径”，在“先声”出的总批说：“首一折‘先声’与末一折‘余韵’相配，从古传奇有如此开场否？然可一不可再也；古今妙语皆被俗口说坏，古今奇文皆被庸笔学坏。”这些地方可以见出作者在戏曲创作上反对陈陈摹拟、重视推陈出新的精神。

八

孔尚任字聘之，又字季重，号东塘，别号岸堂，自号云亭

① 《荀学斋日记》说《桃花扇》评语是孔尚任自己的手笔。

山人。公元1648年，生于山东曲阜县。他少年时读书曲阜县北石门山中，已博采遗闻，准备写一本反映南明一代兴亡的戏曲，这可说是他写作《桃花扇》传奇的思想酝酿时期。值得注意的是他少年时期接受了明末爱国诗人贾凫西的思想影响[①]，成为他采取通俗文艺形式来反映南明兴亡的鼓舞力量。后来《桃花扇》“听稗”出的鼓词，就一字不动地采用贾凫西的《木皮子鼓词》。公元1684年，清康熙帝“南巡”江南，在这年冬天回京，路过山东，到曲阜祭祀孔子。孔尚任被荐举在“御前”讲经，得到康熙帝的褒奖，被任命为国子监博士。公元1686年，他随刑部侍郎孙在丰出差淮扬，疏浚黄河海口，到公元1689年的冬天才回北京。这时期他结识了明遗民冒辟疆、邓孝威、杜于皇、僧石涛等人。在扬州登梅花岭，拜史可法衣冠冢。在南京登燕子矶，游秦淮河，过明故宫，拜明孝陵，还到栖霞山白云庵访张瑶星道士。这些生活经历，加深了他对南明亡国的感慨，也丰富了《桃花扇》传奇的素材。

孔尚任回京以后，继续任国子监博士。当时清朝政权已经稳定，我国封建经济在明末清初一度萎缩之后又转向繁荣。北京为全国首都，戏曲演出极盛。公元1694年，孔尚任与顾天石

① 参看孔尚任《木皮散客记》。

合作的《小忽雷》传奇在景云部演出。小忽雷是唐宫的乐器，段安节《乐府杂录》有关于善弹这乐器的唐宫宫女郑中丞因忤旨赐死，被宰相权德舆的旧吏梁厚本所救，结为夫妇的传说。传奇以郑中丞为郑注的妹妹，与书生梁厚本有婚姻之约，被郑注献入宫中，又为宦官仇士良所陷害。中间牵入朝官李训、郑注等对宦官仇士良、鱼弘志等的斗争，反映了唐文宗一朝政治与当时著名文人白乐天、刘梦得等的生活。就主题及结构看，跟《桃花扇》是同一类型的戏。传奇开端有散曲《博古闲情》一套，中间〔逍遥乐〕等三曲，生动地描写了孔尚任在北京的冷宦生涯：

侨寓在海波巷里，扫净了小小茅堂，藤床木椅。窗外儿竹影萝阴，浓翠如滴，偏映着潇洒葛裙白纻衣。雨歇后，湘帘卷起，受用些清风到枕，凉月当阶，花气扑鼻。

——〔逍遥乐〕

偏有那文章湖海旧相知，剥啄敲门来问你，带几篇新诗出袖底，硬教评批。君莫逼，这千秋让人矣！

——〔金菊香〕

喜的是残书卷,爱的是古鼎彝,月俸钱支来不勾一朝挥。大海潮，南宋器；甘黄玉，汉羌笛；唐羯鼓，断漆奇[①]；又收得小忽雷焦桐旧尾。

——〔梧叶儿〕

公元1699年，孔尚任在迁官户部主事五年之后，升任户部广东司员外郎，经过他十余年苦心经营的《桃花扇》传奇就在这年6月脱稿。由于这部戏曲反映明末清初社会现实的广泛性、深刻性，它的强烈的爱国主义精神，以及它在艺术形象上的巨大感染力量，立即引起了广大读者的注意，并在舞台上经常演出，使有些明代故臣遗老，重新勾起亡国之痛，“灯灺酒阑，唏嘘而散”[②]。这年秋天的一个晚上，康熙帝派内侍向孔尚任索《桃花扇》稿本，孔尚任匆忙中从张平州家觅得一本，在半夜里送进去。由于孔尚任在《桃花扇》里表现了明末清初中国人民对明朝亡国的遗恨与哀思，表扬了史可法、左良玉、黄得功等忠于明朝的人物，讽刺了刘良佐、刘泽清、田雄等降清的汉奸，在“余韵”出里甚至以“开国元勋留狗尾，换朝元

① 大海湖、汉羌笛、唐羯鼓，都是孔尚任在北京收罗到的古代乐器。

② 见《桃花扇本末》。

老缩龟头”形容那改换清代装束为清朝办事的徐青君，这就必然地要引起康熙帝以及他左右的不满。到了第二年春天，他就因一件疑案罢官。根据马雍先生的意见，认为这“很可能和《桃花扇》的脱稿有关”[①]。

孔尚任罢官以后，在北京又逗留了两年多，在公元1702年的冬天才回到曲阜石门山老家。当时以任侠著名的大兴王源写序送他说：“先生以文章博雅重于朝，羽仪当世，而孜孜好士不倦。士无贵贱，挟片长，莫不折节交之。凡负奇无聊不得志之士，莫不以先生为归。先生竭俸钱典衣，时时煮脱粟沽酒，与唱合谈讌，酣嬉慰藉。”在封建社会，这样的人物是不可能不引起统治集团的嫉视的。孔尚任留别王士祯诗：“挥泪酬知己，歌骚问上天；真嫌芳草秽，未信美人妍。”也表现了自己罢官后的愤慨心情。

孔尚任罢官回家以后，过了六七年，《桃花扇》传奇才因得到津门诗人佟蔗村的帮助，刻板印行。此后又过了十年，在康熙五十七年戊戌，即公元1718年的春天，死于曲阜石门山的家中，终年七十岁。

孔尚任遗留的著作除《桃花扇》传奇外，还有《出山异

---

① 见1954年5月24日《光明日报》马雍先生《孔尚任及其桃花扇》一文。

数记》一卷，记载他因康熙帝到曲阜祭孔而出山任官的经过；《湖海集》十三卷，辑录了他在淮扬一带疏浚海口时所写的诗文；《享金簿》一卷，记录他平生所收藏的书画古玩；都是我们今天研究这位祖国历史上优秀戏曲作家的重要文献资料。

九

自从中华人民共和国成立以来，我国戏曲在毛主席“百花齐放，推陈出新”的正确方针指导之下，得到了空前的发展。连年来我国戏曲代表团在亚洲、欧洲、非洲及南美洲各国演出，更得到各国人民普遍的赞扬，为我国人民在通过文化交流，促进世界和平的事业上做出卓越的贡献。然而我们今天的戏曲创作还远远落后于社会主义建设事业的前进步伐和舞台演出的水平。怎样使我国戏曲创作无愧于这个伟大的时代，符合于今天舞台演出的要求，除了要求戏曲作家们熟悉舞台艺术，熟悉历史上各阶层人民生活（这是写历史戏所必需的）和现代人民生活（这是写现代戏所必需的）外，还必须认真向我国历史上许多优秀的戏曲作家学习，批判地继承他们的创作经验，进一步加以提高与发扬。我们对《桃花扇》的整理工作，主要是从这个目的要求出发的。

我们的整理工作计分校勘、标点、注释三方面。校勘最初根据兰雪堂本、西园本、暖红室本、梁启超注本互校，择善而从。后来借到北京图书馆的康熙戊子刻本，又据以校正个别讹字。其中如“咱”字原文或作“偺”，“碰”字原文都作“磞”，一例改作现代通行的字，以便读者。

标点方面为便于读者的诵读，在曲文和说白中的骈语、诗词部分，除顾到语意外，还注意了它的音节和格调。我国戏曲的印刷款式，从宋元以来逐渐形成一种合于这种体裁的统一形式。梁启超先生的《桃花扇注本》把它改照话剧的形式编排，那是不必要的。

注释方面除了注明典故出处、疑难词句外，有时还就整句、连句甚至整支曲子加以串释，指出作者的用意所在。因为我们从许多青年读者方面了解，他们对于中国古典文学里的诗、词、曲子，有时每个字都认识，每个词都了解，但连成一句或二句时，依然莫名其妙。串释部分对于这些读者是有用的。然而我国许多优秀的诗篇或词曲，特别是其中精警之处，语言里所包含的意象极其丰富，我们串释时只能着重地指出它的某一方面，读者要深知作者之意，仍必须自己用心体会。又，这样的串释，比之只就原书引用典故注明出处，只就原书疑难字句注明字义、词意，容易犯主观片面的毛病，更可能由于对作者的原意体会不深以至曲解或误解，这些地方希望读者在发现时加以指正。

（原载《文学研究》1957年第1期）

1917年扫叶山房石印本《桃花扇》

传说中的曹操和舞台上的曹操

郭老替曹操翻案，认为曹操对当时的政治、经济、文化各方面都有杰出的贡献。作为历史人物看，曹操为汉末的混乱局面打下了统一的基础；又平定了乌桓，保卫了北中国人民的和平生活，应该肯定他是功多于过、值得我们重视的英雄人物。然而曹操除了是历史人物外，同时还是传说中的人物和舞台上的艺术形象。传说中的曹操根据历史上的曹操某一方面发展，而舞台上的曹操又是根据传说中的曹操某一方面的性格特征塑造出来的。

郭老根据《东坡志林》，认为曹操受了很大的歪曲是从宋代开始的，事实并不如此。远在南朝刘宋初年，裴松之注《三国志》时就引了不少较早的有关曹操的传说。这些传说有的写曹操的机智，如《献帝春秋》写曹操兵败濮阳时，吕布的部下追上他，问他曹操在哪里，他说："前面骑黄马的就是。"曹操就因此逃脱了。有的写曹操的奸诈，如《曹瞒传》说他幼年时在父亲面前反咬他叔父的故事。又说他在出兵时粮食不足，听了管粮人的话用小斗散发。后来部队里以为他骗人，他就借这个管粮人的头来号令。《曹瞒传》是东吴人写的，吴魏世仇，因此在传说里把他写得十分奸诈刻毒；而部分在北方流传的故事往往夸张他的机智与才能，这本是可以理解的。到了刘义庆作《世说新语》时情况又有了改变，那就是形容曹操奸诈的传说已占了优势，而称赞他的才能的却越来越少了。《世说新语》的“假谲”门一开始就引了五条有关曹操的传说，其中有两条特别不利于曹操的宣传。一条说他经常对人说：“如果有人要害我，我自然会心跳起来。”他为了证实自己的话，就对一个接近他的人说：“你带刀暗地到我旁边来，我就说心跳了，叫人搜查你，你不要声冤，我不会真杀你的。”那个人信了他的话，结果却真的给杀了。另一条说他常对左右说：“我睡时不要随意走近我，一近了，我会不自觉地杀人的。”后来他故意假睡，不盖被子，一个亲近的人怕他受凉，拿被去盖他，他就跳起来杀了他。从此他睡时没有人敢到他旁边去。这些对曹操不利的传说在5世纪初期就已形成，因此，郭老认为从宋代以来曹操才受了很大歪曲的话是不符合历史事实的。

《三国志·魏武帝本纪》记曹操对袁绍说过这一段

话："吾任天下之智力，以道御之，无所不可。"意即任用天下有才智之人，以合理的方法驾驭他们，任何问题都可以对付得了。《三国志·魏武帝本纪》又记他建安十二年的敕令说："吾起义兵诛暴乱，于今十九年，所征必克，岂吾功哉？乃贤士大夫之力也。天下虽未悉定，吾当要与贤士大夫共定之。"因此，就知人善任、集中部下的智力共同建立事业说，曹操的做法跟诸葛亮十分相似。《魏武故事》记曹操在建安十二年的敕令，自说少年时本想在故乡筑精舍，"秋夏读书，冬春射猎，断绝宾客往来之望"。这跟诸葛亮在《出师表》里"臣本布衣，躬耕于南阳，苟全性命于乱世，不求闻达于诸侯"一段自叙也十分相似。然而这两位在三国时期交过手的英雄人物，一位在传说中逐渐成为忠臣的典范，一位却成了奸贼的模型。原因在哪里呢？我想这首先决定于这两个人在历史上的不同遭遇和他们所走的不同道路，其次是历来人们从封建正统观念出发评价这两个人物的结果。

曹操年龄比诸葛亮大三十六岁。当曹操起兵时，汉朝的统治经过黄巾农民起义，已经根本动摇。群雄并起，都想独霸一方，然后进一步统一中国。曹操生活在那个时代，为了避乱免祸，希望能够过一种"秋夏读书，冬春射猎"的隐居生活，这只是他思想的一个方面。另一方面，他是一个关心时事的有才能的人，不能不受当时形势的影响，希望能够驾驭人才，集中群智群力，从独霸一方，进而澄清天下。他跟汉献帝的关系，实际只是看中了汉朝曾经长期统治中国的政治影响，暂时利用他来达到自己的政治目的。这一点不仅曹操心中有数，他的部下也绝大多数心照不宣的。汉献帝也当然知道他与曹操之间的真正关系怎样，因此他就曾再三发动亲信要谋害曹操。曹操如果真的把一切兵权交给汉献帝，那就要像他自己所说的“慕虚名而处实祸”，后患不可设想，而且他的部下也多数不会答应的。直接废了汉献帝吧，不但失去一个可以利用的名义，更将给敌方以攻击的借口。因此，当建安二十三年，孙权上书曹操称臣，有意劝他代汉自立时，他就对人说：“是儿欲踞吾着炉火上耶？”意即说：“这家伙存心不良，要把我送到炉子上给火来烤。”曹操既不能依照封建道德观念的要求，对汉献帝尽忠，又不能过早地废了他自立。这就决定他只能表面敷衍献帝，有时也说些自己三代受汉朝厚恩，要尽忠图报的话，而实际上却要按自己的政治方针行事。历来封建统治王朝就最怕一个有才能、有实权而不肯尽忠王朝的人。曹操在历史上恰恰是这样一个人，这就决定了他为历代的统治主所憎恨，片面夸大他的缺点，歪曲他的形象。史书上较早地建立后赵的石勒曾说：“大丈夫行事当礌礌落落，如日月皎然，终不能如曹孟德、司马仲达父子，欺他孤儿寡妇，狐媚以取天下也。”其实汉献帝的年纪并没有比曹操小多少，说不上什么孤儿，石勒也并没有比曹操更光明磊落，这些话其实只是石勒借曹操的头来号令给部下看的。后来唐太宗《祭魏武帝文》说：“夫民离政乱，安之者哲人；德丧时危，定之者贤辅。伊尹之臣殷室，王道昏而复明；霍光之佐汉朝，皇纲否而复泰。立忠履节，爰在于斯。帝（即曹操）以雄武之姿，当艰难之运。栋梁之任，同乎曩时，匡正之功，异于往代。观沉溺而不拯，视颠覆而不持。乖徇国之情，有无君之迹。”这篇祭文拿伊尹、霍光的事迹跟曹操对比，意说伊尹佐殷，霍光佐汉，都能使皇朝的统治危而复安，这才是哲人，是贤辅。曹操所处的时代与朝廷对他的信任，都跟伊尹、霍光相似；他又有雄武之姿，可以为汉朝办事。可是他却坐看汉朝的沉溺而不救，颠覆而不持，这就成了“乖钧国之情，有无君之迹”的奸臣。这可说是典型的代表封建统治主对曹操的看法。郭老把唐太宗这篇祭文的语意看反了，以为唐太宗称曹操作“哲人”，说曹操“拯救了沉溺，扶持了颠覆”。因此也就得出了不可靠的结论，以为“曹操受了很大的歪曲，实在是自宋代以来”。我们就现有的历史资料考查，从4世纪后期以来，曹操就一直被某些统治主看作司马仲达一流的奸臣，在一些野史、小说里也早已流传他的阴险毒辣的故事。这些统治主对他的评价主要是根据曹操跟汉献帝之间的关系做出的，这当然是从当时封建统治主的正统观念出发。而在封建社会，统治阶级的思想在当时是统治思想，它不能不广泛地影响到当时的民间，这是民间传说里也早就把曹操当一个反面人物来刻画的原因。

诸葛亮在隆中对策的时候，天下三分的形势已经有了苗头，跟曹操并起的群雄大半都已消灭。刘备又是一个在斗争里成长的英雄，他跟诸葛亮的合作关系是曹操与汉献帝之间所不可能有的。这就决定了他后来为蜀汉的事业“鞠躬尽瘁，死而后已”的道路，也决定了他后来成为传说中的正面英雄人物。当然，这还与诸葛亮个人的修养、才能有关，然而这只是次要的因素。

曹操成为小说、戏曲里的反面典型人物，流传这样广泛，影响这样深远，那应该是从宋代开始的。就这方面说，郭老的话仍有它部分的正确性。根据穆修的《亳州魏武帝帐庙记》，在北宋初期，亳州人民还替曹操立庙，岁时祭拜。这事情如在南宋以后，我想根本不可能发生。为什么传说中的曹操从宋代以后又进一步丑化，成为戏曲小说里的反面典型人物呢？这主要是在宋代以后，民族矛盾愈益尖锐，人们借古喻今，习惯于把企图恢复汉业的蜀汉当作企图恢复汉族政权的英雄人物来宣扬。于是刘备、诸葛亮、关羽等就成为人们所歌颂的英雄人物，而跟蜀汉对立的曹操就成为人们集中鞭挞的对象。王昆仑先生认为宋、元、明、清以来，“人心思汉”，“身在曹营心在汉”是我国人民普遍的爱国感情，这样，诸葛亮就成了智能的化身，曹操就成了奸雄的典型，舞台上的曹操就和历史上真实的曹操发生了距离。这论点我是基本同意的。根据现存元人杂剧看，孙权由于曾经跟刘备、关羽等作对，也曾在舞台上被丑化过，幸亏他还曾在赤壁之战帮助过刘备一手，因此没有像曹操一样地给涂上大白脸。

宋元明清这历史阶段又是我国戏曲、小说等文艺形式成长、繁荣的时期。这些通俗文艺由于民间优秀艺人的长期积累，它塑造人物形象的鲜明性和作品流传的广泛性，都不是前代其他文艺形式所可以比拟的。因此，曹操这个反面人物的舞台艺术形象就愈来愈鲜明，影响愈来愈广泛，离开历史上真实曹操的距离也越来越大。然而，我们仍不能认为历史上的曹操跟舞台上的曹操是完全两回事。因为体现在曹操这个舞台形象上的阴险毒辣的性格，它集中了统治阶级反面性格里最阴暗的东西，这些东西就历史上的曹操说并非完全没有，虽然不见得是他性格上主要的东西。

既然舞台上的曹操是宋元以来无数民间艺人所集体创造，

同时体现了这个历史阶段广大人民的思想感情的，它就是人民珍贵的艺术遗产，尽管跟历史真实不符，它依然可以作为艺术品来给我们欣赏。艺术的真实跟历史的真实可以一致，也可以不一致。特别是我国向来流传的历史故事戏，大都根据当时民间传说进行艺术加工，如果要以历史考证家的眼光来看，那就将到处发现漏洞。这实际不是这些戏有问题而是他的看法有问题，因为我们看历史故事戏并不等于看历史。听说现在有些剧团看了郭老的文章，连曹操的戏都不敢演，那就更不必要了。

（原载《羊城晚报》1959年4月2日）

杨柳青京剧版画《战宛城》

编后记

王兆凯

编前读了袁行霈先生的序言，明白了“大家小书”的宗旨是“大家写给大家看的书”。前面的“大家”指行家或称专家，后面的“大家”指广大读者。读者群的年龄、经历是多样的，兴趣也会是广泛的。特别是从计划经济过渡到市场经济后，观念上的变化更是巨大的。作者写于当时环境要求下的文字，是否适合当代读者的需求，是编者难以预见的。

王季思先生是我的先父。他读书是很用功的，做学问更是很认真的。他的著作对后人是有参考价值的。当然，他也有他的时代局限，也有时代的烙印。但他是一个头脑清醒的人。生活是艺术的源泉，他是明白的。他只能按当时有可能发表的要求来写作。读者只要挑选书中你认为对的来学习就行了，尽可能做到通过独立思考来得出你自己的认知。这样才能超越他，再往前面走。我始终坚信忠实于生活是文艺得以生存和发展的唯一出路。

本书是根据“小书”的原则，从王季思著作中挑选有代表性的篇目供读者参阅。对编者本人也是一个学习的过程，有任何不妥的地方都欢迎读者指正。

国家新闻出版广电总局
首届向全国推荐中华优秀传统文化普及图书

大家小书书目

国学救亡讲演录	章太炎　著　蒙　木　编
门外文谈	鲁　迅　著
经典常谈	朱自清　著
语言与文化	罗常培　著
习坎庸言校正	罗　庸　著　杜志勇　校注
鸭池十讲（增订本）	罗　庸　著　杜志勇　编订
古代汉语常识	王　力　著
国学概论新编	谭正璧　编著
文言尺牍入门	谭正璧　著
日用交谊尺牍	谭正璧　著
敦煌学概论	姜亮夫　著
训诂简论	陆宗达　著
金石丛话	施蛰存　著
常识	周有光　著　叶　芳　编
文言津逮	张中行　著
经学常谈	屈守元　著
国学讲演录	程应镠　著
英语学习	李赋宁　著
中国字典史略	刘叶秋　著
语文修养	刘叶秋　著
笔祸史谈丛	黄　裳　著
古典目录学浅说	来新夏　著
闲谈写对联	白化文　著
汉字知识	郭锡良　著
怎样使用标点符号（增订本）	苏培成　著
汉字构型学讲座	王　宁　著

诗境浅说	俞陛云　著
唐五代词境浅说	俞陛云　著
北宋词境浅说	俞陛云　著
南宋词境浅说	俞陛云　著
人间词话新注	王国维　著　滕咸惠　校注
苏辛词说	顾　随　著　陈　均　校
诗论	朱光潜　著
唐五代两宋词史稿	郑振铎　著
唐诗杂论	闻一多　著
诗词格律概要	王　力　著
唐宋词欣赏	夏承焘　著
槐屋古诗说	俞平伯　著
词学十讲	龙榆生　著
词曲概论	龙榆生　著
唐宋词格律	龙榆生　著
楚辞讲录	姜亮夫　著
读词偶记	詹安泰　著
中国古典诗歌讲稿	浦江清　著 浦汉明　彭书麟　整理
唐人绝句启蒙	李霁野　著
唐宋词启蒙	李霁野　著
唐诗研究	胡云翼　著
风诗心赏	萧涤非　著　萧光乾　萧海川　编
人民诗人杜甫	萧涤非　著　萧光乾　萧海川　编
唐宋词概说	吴世昌　著
宋词赏析	沈祖棻　著
唐人七绝诗浅释	沈祖棻　著
道教徒的诗人李白及其痛苦	李长之　著
英美现代诗谈	王佐良　著　董伯韬　编
闲坐说诗经	金性尧　著
陶渊明批评	萧望卿　著

古典诗文述略	吴小如　著
诗的魅力 ——郑敏谈外国诗歌	郑　敏　著
新诗与传统	郑　敏　著
一诗一世界	邵燕祥　著
舒芜说诗	舒　芜　著
名篇词例选说	叶嘉莹　著
汉魏六朝诗简说	王运熙　著　董伯韬　编
唐诗纵横谈	周勋初　著
楚辞讲座	汤炳正　著 汤序波　汤文瑞　整理
好诗不厌百回读	袁行霈　著
山水有清音 ——古代山水田园诗鉴要	葛晓音　著
红楼梦考证	胡　适　著
《水浒传》考证	胡　适　著
《水浒传》与中国社会	萨孟武　著
《西游记》与中国古代政治	萨孟武　著
《红楼梦》与中国旧家庭	萨孟武　著
《金瓶梅》人物	孟　超　著　张光宇　绘
水泊梁山英雄谱	孟　超　著　张光宇　绘
水浒五论	聂绀弩　著
《三国演义》试论	董每戡　著
《红楼梦》的艺术生命	吴组缃　著　刘勇强　编
《红楼梦》探源	吴世昌　著
《西游记》漫话	林　庚　著
史诗《红楼梦》	何其芳　著 王叔晖　图　蒙　木　编
细说红楼	周绍良　著
红楼小讲	周汝昌　著　周伦玲　整理

曹雪芹的故事	周汝昌　著　周伦玲　整理
古典小说漫稿	吴小如　著
三生石上旧精魂 ——中国古代小说与宗教	白化文　著
《金瓶梅》十二讲	宁宗一　著
中国古典小说十五讲	宁宗一　著
古体小说论要	程毅中　著
近体小说论要	程毅中　著
《聊斋志异》面面观	马振方　著
《儒林外史》简说	何满子　著
我的杂学	周作人　著　张丽华　编
写作常谈	叶圣陶　著
中国骈文概论	瞿兑之　著
谈修养	朱光潜　著
给青年的十二封信	朱光潜　著
论雅俗共赏	朱自清　著
文学概论讲义	老　舍　著
中国文学史导论	罗　庸　著　杜志勇　辑校
给少男少女	李霁野　著
古典文学略述	王季思　著　王兆凯　编
古典戏曲略说	王季思　著　王兆凯　编
鲁迅批判	李长之　著
唐代进士行卷与文学	程千帆　著
说八股	启　功　张中行　金克木　著
译余偶拾	杨宪益　著
文学漫识	杨宪益　著
三国谈心录	金性尧　著
夜阑话韩柳	金性尧　著
漫谈西方文学	李赋宁　著
历代笔记概述	刘叶秋　著

周作人概观	舒　芜　著
古代文学入门	王运熙　著　董伯韬　编
有琴一张	资中筠　著
中国文化与世界文化	乐黛云　著
新文学小讲	严家炎　著
回归，还是出发	高尔泰　著
文学的阅读	洪子诚　著
中国文学1949—1989	洪子诚　著
鲁迅作品细读	钱理群　著
中国戏曲	么书仪　著
元曲十题	么书仪　著
唐宋八大家	
——古代散文的典范	葛晓音　选译

辛亥革命亲历记	吴玉章　著
中国历史讲话	熊十力　著
中国史学入门	顾颉刚　著　何启君　整理
秦汉的方士与儒生	顾颉刚　著
三国史话	吕思勉　著
史学要论	李大钊　著
中国近代史	蒋廷黻　著
民族与古代中国史	傅斯年　著
五谷史话	万国鼎　著　徐定懿　编
民族文话	郑振铎　著
史料与史学	翦伯赞　著
秦汉史九讲	翦伯赞　著
唐代社会概略	黄现璠　著
清史简述	郑天挺　著
两汉社会生活概述	谢国桢　著
中国文化与中国的兵	雷海宗　著
元史讲座	韩儒林　著

魏晋南北朝史稿　　贺昌群　著
汉唐精神　　贺昌群　著
海上丝路与文化交流　　常任侠　著
中国史纲　　张荫麟　著
两宋史纲　　张荫麟　著
北宋政治改革家王安石　　邓广铭　著
从紫禁城到故宫
——营建、艺术、史事　　单士元　著
春秋史　　童书业　著
明史简述　　吴　晗　著
朱元璋传　　吴　晗　著
明朝开国史　　吴　晗　著
旧史新谈　　吴　晗　著　习　之　编
史学遗产六讲　　白寿彝　著
先秦思想讲话　　杨向奎　著
司马迁之人格与风格　　李长之　著
历史人物　　郭沫若　著
屈原研究（增订本）　　郭沫若　著
考古寻根记　　苏秉琦　著
舆地勾稽六十年　　谭其骧　著
魏晋南北朝隋唐史　　唐长孺　著
秦汉史略　　何兹全　著
魏晋南北朝史略　　何兹全　著
司马迁　　季镇淮　著
唐王朝的崛起与兴盛　　汪　篯　著
南北朝史话　　程应镠　著
二千年间　　胡　绳　著
论三国人物　　方诗铭　著
辽代史话　　陈　述　著
考古发现与中西文化交流　　宿　白　著
清史三百年　　戴　逸　著

清史寻踪	戴　逸　著
走出中国近代史	章开沅　著
中国古代政治文明讲略	张传玺　著
艺术、神话与祭祀	张光直　著 刘　静　乌鲁木加甫　译
中国古代衣食住行	许嘉璐　著
辽夏金元小史	邱树森　著
中国古代史学十讲	瞿林东　著
历代官制概述	瞿宣颖　著
宾虹论画	黄宾虹　著
中国绘画史	陈师曾　著
和青年朋友谈书法	沈尹默　著
中国画法研究	吕凤子　著
桥梁史话	茅以升　著
中国戏剧史讲座	周贻白　著
中国戏剧简史	董每戡　著
西洋戏剧简史	董每戡　著
俞平伯说昆曲	俞平伯　著　陈　均　编
新建筑与流派	童　寯　著
论园	童　寯　著
拙匠随笔	梁思成　著　林　洙　编
中国建筑艺术	梁思成　著　林　洙　编
沈从文讲文物	沈从文　著　王　风　编
中国画的艺术	徐悲鸿　著　马小起　编
中国绘画史纲	傅抱石　著
龙坡谈艺	台静农　著
中国舞蹈史话	常任侠　著
中国美术史谈	常任侠　著
说书与戏曲	金受申　著
世界美术名作二十讲	傅　雷　著

中国画论体系及其批评	李长之　著
金石书画漫谈	启　功　著　赵仁珪　编
吞山怀谷 ——中国山水园林艺术	汪菊渊　著
故宫探微	朱家溍　著
中国古代音乐与舞蹈	阴法鲁　著　刘玉才　编
梓翁说园	陈从周　著
旧戏新谈	黄　裳　著
民间年画十讲	王树村　著　姜彦文　编
民间美术与民俗	王树村　著　姜彦文　编
长城史话	罗哲文　著
天工人巧 ——中国古园林六讲	罗哲文　著
现代建筑奠基人	罗小未　著
世界桥梁趣谈	唐寰澄　著
如何欣赏一座桥	唐寰澄　著
桥梁的故事	唐寰澄　著
园林的意境	周维权　著
万方安和 ——皇家园林的故事	周维权　著
乡土漫谈	陈志华　著
现代建筑的故事	吴焕加　著
中国古代建筑概说	傅熹年　著
简易哲学纲要	蔡元培　著
大学教育	蔡元培　著 北大元培学院　编
老子、孔子、墨子及其学派	梁启超　著
春秋战国思想史话	嵇文甫　著
晚明思想史论	嵇文甫　著
新人生论	冯友兰　著

中国哲学与未来世界哲学	冯友兰　著	
谈美	朱光潜　著	
谈美书简	朱光潜　著	
中国古代心理学思想	潘　菽　著	
新人生观	罗家伦　著	
佛教基本知识	周叔迦　著	
儒学述要	罗　庸　著	杜志勇　辑校
老子其人其书及其学派	詹剑峰　著	
周易简要	李镜池　著	李铭建　编
希腊漫话	罗念生　著	
佛教常识答问	赵朴初　著	
维也纳学派哲学	洪　谦　著	
大一统与儒家思想	杨向奎　著	
孔子的故事	李长之　著	
西洋哲学史	李长之　著	
哲学讲话	艾思奇　著	
中国文化六讲	何兹全　著	
墨子与墨家	任继愈　著	
中华慧命续千年	萧萐父　著	
儒学十讲	汤　介　著	
汉化佛教与佛寺	白化文　著	
传统文化六讲	金开诚　著	金舒年　徐令缘　编
美是自由的象征	高尔泰　著	
艺术的觉醒	高尔泰　著	
中华文化片论	冯天瑜　著	
儒者的智慧	郭齐勇　著	
中国政治思想史	吕思勉　著	
市政制度	张慰慈　著	
政治学大纲	张慰慈　著	
民俗与迷信	江绍原　著	陈泳超　整理

政治的学问	钱端升 著	钱元强 编
从古典经济学派到马克思	陈岱孙 著	
乡土中国	费孝通 著	
社会调查自白	费孝通 著	
怎样做好律师	张思之 著	孙国栋 编
中西之交	陈乐民 著	
律师与法治	江 平 著	孙国栋 编
中华法文化史镜鉴	张晋藩 著	
新闻艺术（增订本）	徐铸成 著	
经济学常识	吴敬琏 著	马国川 编

中国化学史稿	张子高 编著	
中国机械工程发明史	刘仙洲 著	
天道与人文	竺可桢 著	施爱东 编
中国医学史略	范行准 著	
优选法与统筹法平话	华罗庚 著	
数学知识竞赛五讲	华罗庚 著	
中国历史上的科学发明（插图本）	钱伟长 著	

出版说明

“大家小书”多是一代大家的经典著作，在还属于手抄的著述年代里，每个字都是经过作者精琢细磨之后所拣选的。为尊重作者写作习惯和遣词风格、尊重语言文字自身发展流变的规律，为读者提供一个可靠的版本，“大家小书”对于已经经典化的作品不进行现代汉语的规范化处理。

提请读者特别注意。

北京出版社